역무원의 독서노트

기억의 풍경
글들의 날개

역무원의 독서노트
기억의 풍경 글들의 날개

발 행 | 2024년 7월 31일
저 자 | 김진원
펴낸이 | 한건희
펴낸곳 | 주식회사 부크크
출판사등록 | 2014.07.15.(제2014-16호)
주 소 | 서울시 금천구 가산디지털1로 119 SK트윈타워 A동 305호
전 화 | 1670-8316
이메일 | info@bookk.co.kr
편집 및 디자인 | 공간 나다움(cloudrain95@naver.com)
ISBN | 979-11-410-9768-4

가격은 뒷표지에 있습니다.

역무원의 독서노트

기억의 풍경
글들의 날개

.

김진원

부크크

글 싣는 순서

제2부 역무원의 독서노트 (비문학 감상문) _ 109

제3부 역무원의 독서노트 (문학 감상문) _ 217

프롤로그

독서의 효용성과 필요성에 대해서 우리는 평소 차고 넘치도록 들었고 많은 부분 공감하고 있다. 각자의 전공을 살리고 교양을 쌓기 위해서 전문 분야 책을 읽기도 하고 문학작품이나 교양서적을 탐독하기도 한다. 독서를 함에 있어서 책의 형태는 종이책이든 전자책이든 상관없다. 장르와 경로는 다르지만 얻고자 하는 지식과 정보를 최대한 많이, 정확하게 알기 위해서라면 종이책이든 전자책이든 무슨 상관이겠는가. 하지만 2024년 문체부에서 발표한『독서문화진흥 기본계획』자료에 의하면 우리나라 성인의 독서율과 독서량, 구입량 모두 감소하는 등 국민 여가 생활에서 독서에 대한 선호가 낮은 것으로 나타났다. 이는 인공지능(AI)활용, 동영상 시청, 디지털 매체·콘텐츠 이용 비중 증가 등이 복합적으로 작용한 것으로 보인다.

이러한 현상과 맞물려 대학가에서도 이미 '종이 종말시대'를 맞았다. 전공서적과 교양서적을 가슴에 안고 다니던 캠퍼스의 모습은 옛 시절의 모습이 되었고, 학교 앞에 즐비하던 인쇄소와 복사점도 많은 곳이 폐업을 했다. 동네에 군데군데 있던 서점도 없어진지 오래되었다. 대학생들을 비롯한 청소년들은 종이책 대신 태블릿PC, 노트북 등으로 책을 보고 필기를 하다 보니 굳이 책 내용을 종이로 복사하거나 인쇄를 잘 하지 않는다. 교수님의 강의 내용을 노트에 기록하고 필기를 잘하는 친구가 인기를 차지하던 시대는 그때 그 시절의 추억이 되었다. 종이로 대표되는 아날로그 대신 온라인 문화가 대학가와 젊은 층의 주류 문화로 자리 잡았고, 종이가 사라지는 무지(無紙)를 대신하여 전자책과 숏폼 플랫폼의 영상들이 정보제공의 대세로 부상했지만 나는 여전히 독서의 대부분을 종이책으로 하고 있다. 무엇보다 한 페이지를 다 읽고 책장을 한 장 넘길 때 마다 전해오는 손맛이 전자책과 비할 바가 아니기 때문이다. 기계와 인공지능 등 과학기술 발달에 따른 편리와 혜택을 분명 보고 있지만 도서구입을 통한 책 읽기가 나의 정신의 내면을 들여다보는 좋은 방법의 하나로 생각하기 때문이다. 하지만 미디어 홍수 시대에 뇌에 강한 자극을 주어 순간적으로 도파민을 분출하는 숏폼 플랫폼의 영상들이 지배하는 현실에 진득하니 책을 읽는다는 것이 결코 쉬운 일이 아니다.

직장인으로 생활하면서 동료나 후배들 중 책을 가까이 하고 독서를 즐기는 사람들을 많이 보았다. 그들 독서파들은 대개 업무역량이 뛰어나고 풍부한 어휘와 잘 정돈된 문장력을 보였고 논리 구사력도 뛰어났다. 특히 공문서 작성 등에 있어서 잘 쓰여진 계획서나 기안문을 보면 그들의 글쓰기 근육이 부러웠다.

공공기관에 있어서 공문은 그 기관의 공식적인 의사표시이다. 시행문 본문에 기관이나 단체의 의사를 압축적으로 그것도 명확하게 쓰는 것이 생각만큼 쉬운 일은 아니다. 한정된 지면에 일반인이나 조직 구성원이 쉽게 이해할 수 있도록 분명하고 또렷하게 요약해서 쓰기 위해서는 평소 충분한 독서를 바탕으로 글쓰기 근육을 충분히 기른 사람만이 할 수 있는 것이다. 현대를 살아가면서 우리는 다양한 곳에서 정보와 지식을 얻는다. 책, 방송(유튜브), 신문, 인터넷, SNS, 대화형 인공지능(ChatGPT) 등. 하지만 내가 느끼기에 디지털 매체는 접근성이 좋고 정보 취득이 편리한 대신 일방적인 정보 공급과 지나친 시각적 정보 구성으로 인한 휘발성이 강하다고 생각한다. 그런 이유로 정보와 지식을 가장 효과적으로 획득할 수 있고 실질적인 도움이 되는 것은 여전히 책이라고 생각한다. 텍스트가 전해주는 정보, 이야기, 논리 등을 파악하고 해석하는 과정에서 주관적 가치판단을 기르고 이성적 사유 능력을 향상시키는 것은 독서만한 것이 없기 때문이다.

나는 역무원이다. 다시 말해 우리들 주변에서 같이 호흡하고 일하고 있는 평범한 직장인이라는 뜻이다. 바로 옆 자리에 앉아있는 동료이면서 선배이고, 후배이기도 하다. 글쓰기를 전문으로 하는 작가는 더더욱 아니다. 오히려 지식과 전문성은 떨어지고 잘 알지도 못하면서 약간의 허영심을 바탕으로 읽어본 몇 권의 책 내용을 아는 척 하고 있는 부류다. 잘라 말하면 여기 실린 글들은 못나고 부족한 글들이 대부분이다. 근육과 기초체력은 약하면서 여러 가지 운동을 하겠다고 덤비는 격이다. 하지만 생판 지어낸 구라는 별로 없다. 한 권의 책을 읽으며 정보의 양이 부족하면 다른 관련 서적을 뒤적이며 나머지 내용을 찾아보며 발췌(拔萃) 요약(要約)을 했다.

　또한 여기 실은 글들은 30대~50대까지 시나브로 쓴 글들을 묶은 것이다. 아이들이 다닌 초등학교에서 매년 가을이 되면 5~6권의 책을 선정해서 부모님 독후감 대회를 개최했는데 그 때마다 자의반 타의반으로 참여했었다. 결과적으로 어쭙잖게 참여한 학부모 독서대회 참가를 계기로 몇 권의 책을 읽으며 독서에 필요한 약간의 근육을 키웠다. 그 후로 책을 읽고 나면 느낀 바를 독서 노트 형식으로 기록을 하는 습관을 들였다. 여기 글들은 그 때부터 비번 휴무 날 쉬엄쉬엄 읽은 독서내용에 약간의 살을 붙이고 색깔을 덧대고 포장을 한 것이다. 하지만 배움이 얕고 아둔한지라 크게 진전된 것은 없어 보인다. 다시 말하지만 나는 역무원이다. 열차의 기적소리 애잔한 날이면 산 너머 가보지 못한 곳을 그리워하고, 승강장 하늘 위 기차사이로 뭉게구름 일렁이면 이를 수 없는 곳을 애타게 갈망하는 감성파 역무원이다. 하여 이 책에서 크게 도움 되는 담론(談論)이나 재미를 찾는다면 실망할 것이다. 그저 평범한 이웃의 직장 동료가 전하는 소소한 이야기 정도로 이해해주기를 바랄 따름이다.

나는 이 책에서 한자를 괄호 안에 넣어 병용하는 형식으로 약간 오남용을 한 부분이 있다. 좋은 글을 쓰려면 한자말을 오남용하지 말아야 한다. 하지만 한글은 언어학적으로 표음문자이다. 표음문자(表音文字)의 특성상 뜻과 맛을 정확하게 알기 어려운 단어가 있다. 하여 표의문자(表意文字)의 대표 선수인 한자를 아울러 썼지만 쓰고 보니 한자를 많이 병용한 것 같다. 또한 책을 읽은 감상문을 쓰다 보니 지나치게 늘어진 챕터도 있다. 예컨대, '추락하는 것은 날개가 있다.'는 장편 소설로 300페이지 분량의 책이다. 이문열 작가의 작품 중 가장 쉽게 읽을 수 있는 문학작품 중의 하나인데, 나는 A4 용지 12장 분량으로 요약했지만 쓰고 보니 길게 늘어진 것 같다. 하지만 이 작품을 못 읽은 사람들은 여기에 요약한 것으로도 어느 정도는 소설의 내용을 이해할 수 있을 것으로 기대한다. 또한 이 책의 중간쯤에 우리 집 아이들이 청소년기 때 쓴 글이 문예지 책자에 실려 있기에 두 편을 실었다. 본인들의 동의는 구하지 않았지만 별다른 무리(無理)는 없을 것으로 생각한다.

끝으로 가족에게 감사드린다. 세상에서 제일 소중한 것은 가족이다. 바쁜 일상 속에서 가족과의 소중한 시간을 놓치고 의미를 잊어버리기도 하지만 가족은 언제나 우리를 지켜주는 울타리이기 때문이다.

- 2024년 여름날 김진원 -

제1부

기억의 풍경 글들의 날개

KTX 진주역사(晉州驛舍) 이야기

일제 강점기 때 삼랑진~진주 철도 개통에 따라 1925년부터 보통역으로 영업을 개시한 진주역은 2012년 12월에 지금의 현 역사(驛舍)로 이전 하였다.

진주역사(晉州驛舍)의 면적은 3,775㎡로 역무동과 기술동으로 나누어져있다. 주말 기준 고속열차 36회, 일반열차 18회, 하루 54회 여객열차가 운행되고 있으며, 연인원 60만 여명의 승객이 진주역을 이용하고 있다.

진주역(晉州驛)은 진주를 중심으로 하는 서부경남의 중요 관문이며, 특히 KTX는 서울 등 원거리 이동을 하는 시민들의 교통편의 증대와 함께 시간 단축을 통한 대도시로의 접근성 향상의 중추적 역할을 하고 있다. 전국의 수많은 역사(驛舍)들이 나름의 특색 있는 디자인으로 그 지역시민들과 여행자들의 사랑을 받고 있지만, 진주역은 전통적인 건축양식인 한옥(韓屋)형태의 기와로 건축한 건축물로써 그 **웅장함과 미학적 완성도에서 전국 역사(驛舍) 중 최고의 건축물(建築物)로 평가** 받고 있다. 승강장의 지붕까지 회랑(回廊)을 형상화한 기와로 건축된 역사(驛舍)는 진주역이 전국에서 유일하다.

이처럼 특색 있는 진주역의 역사 형태이지만 진주역사(驛舍) 건축의 모티브가 된 역사적 건축물이 **진주객사(晉州客舍)**인 점은 많은 사람들이 잘 모르고 있다. 객사(客舍)는 고려·조선시대 각 고을에 설치한 관사였는데, 객관(客館)이라고도 했으며 지방의 수령은 연초, 동지, 임금의 생일날 또는 국경일에 객사에 모셔진 전패(殿牌)에 절하는 망궐례(望闕禮)를 행하였으며, 또 그 지방에 파견된 중앙의 관리가 기관장으로 부임할 때도 먼저 객사의 전패에 배례하고 소속 기관에 출근을 하였다.

또한 객사는 외국의 사신들이나 공무를 수행하는 관리들이 머무는 숙소로도 사용 되었다. 중요 거점 고을에 설치한 객사의 중앙에는 나무로 만든 패에 '전(殿)'자를 새겼는데 조선 말 고종이 황제에 오르면서 황제를 상징하는 '궐(闕)'자를 새긴 나무패인 궐패(闕牌)로 바뀌었다. 우리가 다 알다시피 조선에서는 중앙에서 임명한 관리가 고을을 다스렸는데(중앙집권제) 각 고을마다 왕권의 상징인 객사(客舍), 고을 수령 집무실인 관아(官衙), 유학을 가르치는 향교(鄕校) 등을 세웠다.

진주객사(晉州客舍)와 관련한 의미 있는 역사적(歷史的) 인물로는 다산 정약용(丁若鏞)이 있다. 다산은 진주 목사(牧使)를 지낸 정재원의 4남으로 태어났는데 지방관인 그의 아버지를 따라 여러 지방을 다녔으며 **젊은 시절 진주를 다녀간 적이 있다.** 1782년 19살에 경상우도(慶尙右道) 병마절도사(兵馬節度使)인 그의 장인 홍화보(洪和輔)의 초청으로 부인과 함께 진주를 방문 진주객사(晉州客舍)에 머물면서 촉석루(矗

石樓)에서 장인이 베풀어준 연회에 참석하여 팔검무(진주검무)를 추는 가인(妓生)에게 '무검편증미인(舞劍篇贈美人)'이라는 시를 지어 헌사했으며, '진주의기사기(晉州義妓祠記)'를 지어 촉석루 내 의기사(義妓祠)에 걸게 하였다.

- 정약용 -

오랑캐 바다를 동쪽으로 바라보며 숱한 세월 흘러
붉은 누각 산과 언덕을 배고 있네
그 옛날 꽃 핀 못에는 가인의 춤추는 모습 비추었고
단청한 기둥엔 장사(壯士)가 머무는 듯
전쟁터로 봄바람 불어 초목을 휘여 감고
황성에 밤비 내려 안개 낀 물살에 부딪히네
지금도 사당에 영령이 계시는 듯
한 밤중에 촛불 밝히고 술잔을 올리노라

10년 후인 1791년 서른 살에 당시 진주목사(晉州牧使)이던 부친을 만나기 위해 진주를 재방문하여 '재유촉석루기(再遊矗石樓記)'를 짓기도 하였으며, 다음해 그의 부친 장재원이 근무지인 진주에서 갑자기 별세하였는데, 그 후 다산의 진주 객사 방문 기록은 발견되지 않는다. 1801년 정조 승하(昇遐) 후 다산은 신유사옥(辛酉邪獄)의 박해를 받으면서 권력의 중심에서 완전히 밀려났고, 18년 동안의 귀양생활 동안 500여권의 저서를 남겼으며, 목민심서(牧民心書)는 현대에 들어서 공직자(公職者)들의 청렴교육(淸廉教育)의 교과서로 사용되고 있으며 모든 공직자의 필독서(必讀書)로 되어있다.

　전통한옥을 현대식으로 재해석해서 건축한 진주역사에서 2012년부터 2018년 까지 근무를 하면서 나도 두 번 정도 마음 졸인 때가 있었다. 2015년, 2016년 울산과 경주에서 진도 5.0이상 규모의 지진이 발생한 적이 있었는데, 그 때 나는 진주역 부역장으로 근무하고 있었다. 진주에서도 주택과 건물의 흔들림이 느껴질 정도였는데 역사 건물의 안전성, 특히 역사(驛舍) 지붕의 기와가 파손 되지는 않았는지 염려가 되어 관련 부서 직원들과 유심히 살펴보기도 했다. 다행히 그 때마다 이상 없음을 확인하고 세삼 전통 한옥의 견고함과 안전성에 믿음이 갔다.

　이렇듯 대궐같이 웅장하고 **역사적 의미를 부여해서 현대식으로 건축한 아름다운 역사(驛舍)**, 일제 강점기 우리 문화 말살정책을 펴면서 진주객사를 허물고 그 자리에 재판소(법원)를 설치 운영하다가 지금은 아파트 단지의 주거공간으로 변모하여 원래 진주객사의 모습은 사라져 버렸지만, 그 **가슴 아픈 역사를 뒤로하고 진주역사로 재탄생하여 시민들과 여행객들의 친근한 건축물로 자리매김 하고 있다.** 더구나 올해는 코레일의 KTX개통 20주년과 함께 KTX진주역 개통 12주년의 뜻깊은 해이기도 하다. 진주역에서 근무하는 직원들은 오늘도 철도를 이용하는 고객과 진주역을 찾아주는 방문객들에게 **최상의 서비스로 모시기 위해 최선을 다하고 있다.**

우리는 오늘의 성과가 **고객과 시민들의 성원위에 이룬 소중한 결과** 임을 잊지 않고, **KTX의 높은 서비스 품질과 안정성에 대한 신뢰**를 바탕으로 보다 나은 미래교통 서비스를 제공하는 책무에 한 치의 소홀함이 없도록 할 것이다. 그 옛날 **진주객사(晉州客舍)가 나라의 귀한 손님을 맞이하고 예를 갖추고 정성을 다했듯이** 우리지역을 방문하기 위해 KTX **진주역사(晉州驛舍)를** 이용하는 모든 시민과 철도 이용자들 에게 항상 진심을 다할 것이다.

조선시대 진주객사 모습

현 진주역사 역무동 사진

대학(大學)에 입학(入學)하는 딸에게

이 세상에 딸 바보 아닌 아빠가 어디 있게냐마는 지상(地上)에 존재하는 그 무엇보다 귀하고 소중한 내 딸 銀智야!

우리 딸 대학입학을 아빠가 큰 목소리로 축하한다. 지원한 다섯 곳의 학교에 모두 합격했다는 엄마의 전화를 받고 울컥 눈물을 쏟고 말았다. 부모님이 돌아가셨을 때 흘린 눈물이 불효에 대한 슬픔의 눈물이었다면, 너의 합격에 흘린 눈물은 감사와 행복의 눈물이었다.

네가 태어나기 전 엄마와 둘이서 마당 빨랫줄에 삶은 배냇저고리를 널어놓고 곧 태어날 너를 기다리며 행복해했던 시간이 엊그제 같은데, 벌써 대학생이 된다고 생각하니 아직은 얼떨떨하기만 하면서 실감이 나지 않는다.

기억해 보니 세 살부터 열아홉 살 고등학교 졸업할 때 까지 15년을 승용차에 태워 등하교 시키면서 추억도 많았지만 부모로서 미안하기도 했다.

할아버지를 모시고 살아야 하다 보니 도회지로 이사 나가기도 어려웠고 부득이 너의 유년기에는 시골에서 도시의 학교까지 장거리 등하교 길을 승용차에 의지할 수밖에 없었다.

직장을 마치고 너희 남매를 데리고 귀가 할 때쯤이면 늦은 밤이기 일쑤였고, 승용차 뒷좌석에서 곤히 잠든 아기를 안고 집으로 들어갈 때면 늘 미안한 마음이었다. 장거리 통학 길이기에 차멀미도 할법했지만 잘 견뎌주고 적응해줘서 얼마나 고마웠는지 모른다.

그 시절 힘든 장거리 등하교 시절이었지만 딸이 커 감을 느끼고 실감할 때도 있었다. 처음에 다람쥐만한 너를 한손에 안고 차에서 내리다가, 어느 날 부터는 두 손으로 안고 집으로 들어와야 했으며, 점차 더 무게감을 느끼면서 부터는 너를 업어야 했었다.

뒷좌석에서 재잘거리며 이야기 하다가 집에 다 와 가면 우리 딸은 잠든 척 하고는 기어이 아빠 등에 업혀서 차에서 내렸음을 내가 모르는바 아니었지만 그게 아빠는 최고의 행복이었고 기쁨이었다.

사실은 엊그제 있었던 고등학교 졸업식 날 우리 딸을 업어주고 싶었다. 성적우등상을 수상할 때 축하의 박수를 치고 가슴 뭉클했었다. 하지만 정말 놀란 것은 '독서왕'상을 받을 때였다. 3년 동안 학교 도서관 도서대출 횟수와 논술대회(論述大會) 성적을 기반으로 독서왕(讀書王)에 선정되었음을 듣고는 딸을 업고 덩실덩실 춤을 추고 싶을 정도로 기쁘고 자랑스러웠다.

청소년기에 있어서 양질의 독서와 책 읽기를 통한 다양한 간접경험(間接經驗)은 인생을 풍요롭게 하고 성장시키는 중요한 요소 중의 하나이기 때문이다. 솔직히 부모인 내가 전범(典範)을 보인 적도 없었고, 올바른 독서(讀書)지도를 한 적도 없었는데 스스로 자각(自覺)하고 독서(讀書)를 통한 인문학적(人文學的) 교양(教養)의 폭을 넓혀가고 있었다는 생각에 대견하고 자랑스러웠다.

　2007년 노벨문학상을 수상한 영국 작가 '도리스 레싱'은 독서의 효용성에 대해 "나는 책에서 세상과 싸울 무기를 구하기보다는 살아가면서 부딪치는 세상을 납득해 보려는 도구를 찾아왔다는 생각이 든다. 책 읽기가 때로는 사유의 샘을 깨우는 폭포수일 수도 있지만, 삶의 각 페이지를 어렵게 넘어가고 있는 사람들에게 가까운 친구가 되어주는 경우가 훨씬 더 많을 것이다." 라고 했다.

　독서가 만능지팡이는 아니지만 인간(人間)과 사회(社會)의 현상(現狀)을 이해하는 좋은 방법이며, 독서를 통한 지적(知的) 여정이 계속된다면 세계를 더 폭넓게 이해할 수 있는 지혜(知慧)와 안목(眼目)이 생겨날 수 있다는 뜻일 것이다.

　하지만 사랑하는 딸!

　오늘 아빠는 세상에 좋은 말, 인생에 귀감이 되는 말, 불후의 명곡과 명작 같은 말을 하고 싶어서 너에게 글을 보내는 것이 결코 아니다.

　오히려 정반대다. 대학에 입학하거든 신입생다운 멋과 여유를 마음껏 즐기라고 권하고 싶어서다.

　미팅이 주선되면 적극적으로 참여해라. 여중, 여고를 나오고 여대에 진학하는 점이 못내 아쉬웠다. 이성과의 사귐을 통한 교류의 폭을 넓히는 것도 대학생활의 낭만을 넘어서, 어른이 되어가는 의미 있는 과정이라고 생각한다. 활동하고 싶은 동아리가 있으면 그곳에도 기웃거리고, 과우(科友)들과 선후배간 술자리가 생기면 그것도 굳이 피하지 말고, 시시껄렁한 시간 때우기나 성인의 흉내 내는 것도 일종의 통과 의례라 여기고 다 해봤으면 한다.

　지금껏 우리 딸이 보여준 모범생의 경계 심리는 강아지나 줘 버리고 대학 신입생의 즐거움을 마음껏 누려 보라는 뜻이다. 문화적(文化的)인 허영(虛榮)이라 할지라도 괜찮다. Freshman 시절이 아니면 언제 해 보겠니. 학점, 스펙 그딴 건 셈하지 말고 네 마음이 가는 곳에 마음껏 삽질을 해보라고 권하고 싶다.

　지금 시도해 보지 못하면 훗날에는 마음껏 할 수가 없다. 대학을 졸업하고 사회에 진출하면 재량권(裁量權)과 선택(選擇)의 폭은 좁아지고, 지켜야 할 범위는 점차 늘어남에 따라 어디하나 쉽게 삽질 해볼 수 있는 여유가 없게 된다. 세계든 인생이든 언제나 가장 아름답고 귀한 것은 그 미지의 불확실성의 장막 너머에 있다고들 하지 않더냐. 대학(大學)이 학문(學問)의 최종적(最終的)인 성숙(成熟)을 이루는 곳이기도 하지만 한평생 우리를 인도할 가치의 별을 찾아내는 과정이기도 하다고 아빠는 생각한다. 그런 의미에서 언제 어디서나 세상에서 가장 아끼고 사랑해야 할 대상은 나 자신이라고 생각하고 빛나는 청춘(青春)의 내일을 씩씩하게 즐길 줄 아는 우리 딸이었으면 한다.

　다행히 네가 선택한 학교는 1886년 여성교육의 불모지인 이 땅에 최초 설립된 여자대학교이고, 기독교 정신의 사랑과 헌신을 바탕으로 우리 사회의 금기를 깨트리며 끊임없이 도전과 발전을 거듭해온 역사와 전통의 대학교 이다. 한국여성의 교육과 사회발전을 위해 공헌한 선배들과 학우들이 즐비한 그 학교의 구성원임에 자긍심을 가지고 즐거운 대학생활 영위하기 바란다.

사랑하는 딸의 멋진 대학생활을 응원하며

- 2017년 2월 아빠가 -

여름방학과 성경책

1. 수박서리

사람마다 조금씩은 다르긴 해도 유년 시절의 추억 중 가장 오래 기억에 남는 것은 아무래도 여름 방학이 아닐까 싶다. 도회지에서만 자란 사람들은 어떨지 몰라도 우리같이 시골에서 자란 사람들은 여름방학 때 친구들과 개울에서 멱 감고 물장구치던 어린 시절의 기억이 어른이 된 지금에서도 아련한 추억으로 가슴 뛴다.

나 역시도 그러하다. 긴 여름해가 서산으로 기울 때 까지 친구들과 어울려 냇가에서 종일토록 놀았으며, 물놀이 후 배가 출출한 날에는 누가 먼저랄 것도 없이 친구들과 어울려 수박밭으로 달려가곤 했었다. 이른바 수박 서리를 했던 것이다. 우리 집 옆에 있는 작은 야산을 개간한 수박밭이었는데 운 좋게도 그 수박밭의 주인은 아랫동네에 살고 있었다.

우리들의 물놀이가 끝나는 시간이면 수박밭의 주인은 자기 집으로 돌아갈 시간이었고 그 시간에 맞추어 우리들은 기세 좋게 원두막을 점령하여 수박에 코를 박고서 참 맛있게도 먹었었다. 뉘엿뉘엿 넘어가는 여름 해를 바라보며 훔쳐 먹는 수박 맛은 가히 환상 그 자체였다.

그런 우리들의 나쁜 행각을 수박밭 주인이 모를 리 없었겠지만, 수박 넝쿨을 훼손하지 않았고, 집성촌의 특징상 한집 건너면 다 아는 집 아이들이라 특별히 수박서리를 문제 삼지는 않았던 것 같다. 물론 요즘 같은 시대에 수박 서리는 상상도 할 수 없음은 당연한 일이다.

며칠 전 초등학교에 다니는 우리 아이들이 여름 방학을 했다. 그 때나 지금이나 아이들에게 방학은 신나고 즐거운 모양이다.

하지만 직장 생활을 하는 아내는 여간 신경이 쓰이지 않는 눈치다. 방학 내내 친정어머니께 맡겨두기도 미안 하거니와(주중에 아이들은 외할머니 집에서 학교에 다닌다) 아이들을 단조로운 일상에서 한 번쯤은 벗어나게 해주고 싶어 했다. 의논 끝에 우리 부부는 선교원에서 실시하는 여름 성경학교에 보내기로 하고 아이들의 의견을 물어본바 두 녀석 다 가고 싶어 했으며 아내가 제시한 여름방학동안 성경책 1회독 제안도 흔쾌히 수용했다.

물론 읽을 범위를 '모세오경'까지 한정(창세기. 출애굽기. 레위기. 민수기. 신명기)했지만 초등학교 저학년이 읽기에는 만만치 않은 분량이었다.

우리가 알고 있는 서양 이념의 두 기둥은 헬레니즘과 헤브라이즘을 날(經)과 씨(緯)로 해서 얽힌 생각의 다발이다. 어렸을 적 주일학교 때 들은 피상적인 기억이나 여름방학 성경학교의 일회성 수업으로 헤브라이즘을 이해하기는 어려운 것이며, 일반 어른도 한번 읽기가 쉽지 않을뿐더러 설령 각 잡고 읽는다 하더라도 복잡하고 심오한 성경 내용이 어렵기는 마찬가지일 것이다.

그럼에도 나는 이번 아내의 제안에 내심 큰 박수를 보냈다. 이해 여부를 떠나서 **성경책 속에는 우리들 삶의 잠언이 될 숱한 내용과 영혼의 말씀이 수록**되어 있고, 무엇보다도 성경책을 한번 읽었다는 그 자체만으로도 우리 아이들은 매사에 자신감을 가질 것이고 성장의 좋은 자양분이 될 것이기 때문이다.

즐거운 방학동안 여름성경학교에서 배우고 듣고 익힌 영혼의 말씀이 우리아이들의 머릿속에는 내가 가졌던 수박서리의 추억보다도 더 값진 기억으로 남았으면 하는 바람을 가져본다. 물론 방학기간 동안 성경책을 열심히 읽는 아이들을 위해 맛있는 수박은 연신 공급할 계획이다.

2. 예레미야서

예레미야書는 흔히 '눈물의 예언자'라 불리는 예레미야의 행적과 예언들을 모은 글이다. 베냐민 땅 아나돗의 제사장 가문 힐기야의 아들로 태어난 예레미야는 유다 왕국 말년 요시아 왕 13년에 하나님으로부터 열방의 선지자로 첫 선택을 받는다. "나는 너를 네 어미 뱃속에서 만들기 전부터 알았고, 네가 태어나기도 전에 너를 거룩하게 구별하여 여러 나라에 보낼 예언자로 세웠다.' 그때에 예레미야는 그 말을 듣고 이렇게 대답했다. '주 여호와여, 보십시오! 저는 너무 어려서 말도 제대로 할 줄 모릅니다."

그러나 여호와께서 예레미야에게 이렇게 말씀하셨다. '너는 아이 같다고 말하지 말라. 내가 너를 누구에게 보내든지 너는 가야 할 것이며, 네게 무슨 말을 명하든지 너는 그대로 전하라! 너는 사람들을 두려워하지 말라! 내가 너와 함께 너를 구원해 줄 것이니라. 내가 오늘 너를 온 나라와 민족을 위해 세울 것이다. 나는 네가 이제부터 그들을 뽑고, 허물고, 멸망시키고, 무너뜨리고, 세우며, 심게 할 것이니라.'

그 뒤 여호와께서 예레미야를 열방의 선지자로 세우신 후에 두 가지의 예언적 환상을 보여주심에 그 중에 하나가『북에서부터 기울어진 끓는 가마솥』이었다. 북쪽에서 내려올 원수(바빌론)들의 상징으로, 하느님을 배신한 민족(유다)에게 내려질 심판이기도 했다. 따라서 예레미야는 그 상징이 바빌로니아로 구체화 되었을 때 시드키야 왕과 국민들에게 저항하지 말기를 충고 하였다.

하나님은 유대인들이 자기를 버리고 다른 신에게 분향하고, 자기 손으로 만든 우상을 섬겼기 때문에 북쪽에 있는 바벨론 군대를 통해서 유다를 심판하실 것을 경고하신 것이다. 여호와께서는 예레미야에게 두 가지 환상(그 중 하나는 살구나무)과 그 뜻을 보여 주신 후에 그에게 허리띠를 매고 일어나 여호와께서 그에게 명하는 모든 말씀을 전하라고 명하셨다.

심판과 멸망이 가까웠음을 느낀 예레미야는 탁월한 웅변으로 백성들에게 야훼의 선하심과 능력을 선포하면서 도덕적인 개혁을 역설 하였다. 하지만 유다 백성들은 예레미야의 예언을 믿지 않았고 오히려 희망의(성경에서는 거짓)예언자들 말을 더 믿었다.

당시에 인기 있던 거짓 예언자들은 바빌론은 멸망할 것이며 제1차 포수(捕囚)때 끌려간 동족들이 귀환할 것이라는 희망의 거짓 예언을 서슴치 않았다. 이에 예레미야는 성전 문 앞에 서서 다음과 같은 하나님의 말씀을 선포한다.

> "너희의 생활 방식과 행실을 고쳐라. 그러지 않으면 이 땅에서 살 수 없게 될 것이다. 너희가 올바르게 살지 않는 한 성전에 오는 것은 아무 소용이 없다. 다른 사람들에게 공평하게 대해라. 외국 사람이나 고아, 또는 과부라고 차별해서는 안 된다. 그리고 다른 신을 섬겨서는 안 된다. 너희는 헛된 우상을 섬기면서 내 앞에 악한 일을 행하고 있다."

결국 예레미야는 당국의 비위를 건드려 감옥에 갇히고, 그 뒤 시드기야 왕때 바빌로니아(느브갓네살 왕) 군대에 의해 예루살렘은 함락(기원전 586년)되고 백성들은 바빌론으로 끌려가고 일부는 이집트로 망명을 한다. 물론 시드기야 왕도 포로로 끌려갔다.(이 때 시드기야 왕은 두 눈이 뽑히는 형벌을 받음)

바빌로니아 사람들이 유다에서 끌고 간 포로들을 이때부터 유대인이라고 불렀다는 것은 우리가 익히 알고 있는 바이다.

3. 예레미야 슬픈 노래(哀歌)

성경책 중 가장 난해하며 더구나 예레미야의 사역의 배경이 되는 다양한 역사적 배경지식은 부족하지만 아이들의 여름성경학교 입교에 맞춰 예레미야를 새로운 느낌으로 돌아보게 되는 것은 예언의 형식으로 드러난 예레미야서의 교훈이 지금의 나에게도 시사(時事) 하는 바 크기 때문이다.

일상에서 우리는 얼마나 많은 죄를 짓고 있는가? 그럼에도 저 이천 년 전의 유다인들처럼 '나는 죄가 없으니 하나님께서 내게 분노하지 않을 것이다.'라고 떠들고 있지는 않는가? 그리하여 도덕적 불감증과 나태함이 이 여름의 폭염처럼 나를 온전히 덮어 버리는 것은 아닌가? 특히 예레미야서 바로 다음에 이어지는 애가(哀歌)는 이 여름이 서늘할 정도의 섬뜩한 느낌으로 다가온다.

'거친 음식은 입에 대지도 않던 자들이 길바닥에 쓰러져 기는구나. 비단옷이 아니면 몸에 걸치지도 않던 자들이 쓰레기더미에서 뒹구는 신세가 되었구나.......,살갗은 산호처럼 붉고 몸매는 청옥처럼 수려하더니 얼굴은 검댕처럼 검게 되고 살가죽은 고목처럼 뼈에 달라붙어 이젠 아무도 알아보지 못하게 되었구나.......,'

이삿짐을 싸면서

이사(移徙)의 사전적인 뜻은 '사는 곳을 다른 데로 옮김' 이라고 간단히 나와 있지만 우리가 살아가면서 이사만큼 성가시고 불편한 행사도 많지 않을 것이다. 가장 보편적이고 널리 통용되는 이사로는 교육적 내공을 바탕으로 좋은 학군을 찾아 떠나는 **교육이사**, 가장(家長)의 타 지역 직장 발령으로 인한 **직장이사**, 부동산의 재산적 가치를 극대화하기 위해 하는 **투자이사**, 이웃 간의 층간 소음 등 불협화음의 원인으로 인해 하는 **탈 이웃이사**, 빚 독촉에 시달리다 야밤에 도주하는 가슴 아픈 도주이사, 전세방에서 내 집을 장만해서 하는 **내 집 마련 이사** 등 수많은 이사 사연이 있을 것이다.

하지만 어떤 이유에서인지 나는 지금껏 이사를 해 본 경험이 없었다. 학교 다닐 때 하는 전학이 이사와 비슷한 개념의 낯선 곳으로 간다는 의미로 해석이 가능하다면 전학은 한 번 간적이 있지만, 내손으로 이삿짐을 싸서 주거 환경이나 주거 공간을 옮긴 주동적 이사 경험은 한 번도 없었다. 산업화가 급격히 이루어지던 시대에 먼지 날리는 신작로를 따라 트럭위에 이삿짐 보따리를 가득 싣고 도회지로 이사가는 이웃집 사람들을 물끄러미 배웅하던 어릴 적 기억부터, 고가사다리에 실려서 아파트 꼭대기로 매달려 올라가는 요즘의 포장이사까지 언제나 나는 이사에 관한한 당사자가 아닌 구경만 하는 구경꾼 입장이었다.

　사정이 이러하니 이사의 어려움이나 성가심에 대한 개념도 무뎠고 별반 관심도 없었다. 이렇게 이사의 사각지대와 열외 지역에서 교모하게 버티다가 큰마음 먹고 지금 살고 있는 오래된 집을 허물고 새집을 짓기로 하면서 나도 처음으로 내 집 이사를 하게 됐다. 그것도 꽃샘추위와 함께 제대로 했다. 새집을 짓는 동안 세간 살림을 이삿짐 보관 창고에 보내기 위해 짐을 쌌으니 엄밀히 따지자면 이사를 했다기보다 이삿짐을 꾸렸다는 말이 더 맞을 것 같다. 남들이 다 거쳐 갔던 길을 가리 늦게 경험하는 것 같아 마음이 찹찹했지만 초등학생 아이들은 할머니 집에 남겨놓고, 미리 준비한 종이 박스에 테이프를 붙여 가면서 우리 부부는 퇴근 후 3일 동안 매일 새벽까지 그 동안 장만했던 세간 살림들을 박스에 차곡차곡 담아 나갔다. 먼 곳으로 이사 나가는 것도 아니고 이사 짐 보관 창고로 임시로 보낼 것이라 포장 이사를 부르지 않고 이삿짐을 직접 쌌던 것이다.

　아내의 오더를 받아가며 첫날에는 제법 콧노래까지 불러가며 짐을 쌌다. 나도 남들처럼 이삿짐 싣고 떠날 수 있다는 들뜸과 내일 아침이면 도회지로 떠나가는 이삿짐을 싣기 위해 트럭이 우리 집 대문 앞에 도착할 것이라는 막연한 상상과 함께 송강 정철의 관동별곡을 읊조리며 제법 고향 거리에 대한 작별인사 멘트까지도 중얼거렸다.

'강호에 병이 깊어 죽림에 누웠더니 복숭아 꽃 피기도 전에 출사 어명을 받았어라. 고향 사가(私家)의 산수화는 식솔들에게 맡겨놓고 어가가 마을 어귀에 당도했으니 어서 가서 어명을 받들어라'

　　　　　　　　　　　　　　　　　　　- 송강 정철의 관동별곡 중

　비교적 짐 싸기가 단순한 책, 앨범, 오디오, 사무용품, 액자, 운동기구 등은 내가 맡고, 짐 싸기의 전문가인 아내는 난이도가 높은 옷 정리, 부엌살림, 각종 침구류 등을 맡았다. 아래채 사랑방에서 이삿짐을 싸다 말고 나는 잠시 과거로의 아련한 시간 여행을 떠났다. 빛바랜 편지들, 얼룩진 초등학교 성적표, 군대시절 앨범과 추억록, 돌아가신 부모님 사진, 족보, 어머니가 평생 보관하셨던 사성(四星), 일기장, 수험시절에 무슨 부적처럼 달고 다녔던 서브 노트들, 그 밖의 숱한 사연을 간직한 물건들, 그것들을 보고 있자니 보따리들 위로 쌓인 세월의 먼지만큼이나 내 마음에 켜켜이 쌓인 둔감의 흔적들 사이로 싸한 슬픔이 밀려왔다.

　처연한 마음에 고개 돌려 아래채 외양간에 있는 여물통을 보고 있노라니 부모님과 함께 소 키우며 살았던 어린 시절의 추억이 워낭소리가 되어 들리는 듯하였다. 가난했던 시절 소(牛)는 든든한 농사꾼이었으며, 가게 수입의 큰 원천이었다. 여름날 들판에 가서 지게 한가득 소꼴을 베어와 먹이기도 하였다. 외양간에 우두커니 서 있던 소에게 여물을 주고 등허리를 쓰다듬으면 두 눈 지그시 감고 꼬리를 흔들던

소, 친구들과 온 동네 쏘다니다 해거름쯤 집에 들어서는 내 모습을 보고 움메~하고 부르기도 하였다. 부모님이 돌아가시고 취직을 한 후 더 이상 소를 키우지는 않았지만 덩그러니 남은 여물통은 언제나 그 자리에 남아 있었다. 이제 이 집을 허물고 새집이 들어서면 나와 부모님 세대를 이어주던 마지막 추억의 공간은 사라지고, 새롭게 형성된 내 가족과 아이들이 평생 추억의 공간으로 살아갈 것이라 생각하니 삶의 영속성에 새삼 마음이 숙연해졌다.

　3일 동안 이삿짐을 싸면서 오랜 추억이 있는 물건들을 과감히 정리하고 과거와 이별을 시작했다. 친구들과 주고받은 수백 통의 편지와 사성(四星)은 소각하고 오래된 전집류의 책들은 처분했다. 추억이 있는 과거와 이별하는 것은 아쉬운 일이었지만 비워야 새로운 것을 채울 수 있고, 미래의 추억은 그 새로운 채움 속에 다시 자라날 것이므로. 새로운 만남과 추억이 기다리고 있을 새 집으로의 귀환을 상상하며 꽃샘추위와 함께한 이삿짐 싸기는 그렇게 마무리 되고 있었다. 먼 훗날 오늘의 이삿짐 싸기가 즐겁고 행복한 미래의 추억이 되기를 소망하면서.

간이역 손님과 빙어회 추억(追憶)

며칠 전 학창시절 절친했던 친구 부부와 함께 조금은 뜻밖인 여자 손님 한명이 횡천역(橫川驛)을 찾아왔다.

친구 부부도 오랜만이었지만 동행한 여자 손님은 헤여진지 십 수년 만에 처음이었다. 그녀는 내가 한창 물오르던 시절 경남 고성의 어느 작은 암자에서 또아리를 틀고 있을 때 만난 사람이었다.

그때나 지금이나 수험(受驗) 청년시절(靑年時節)은 고단하면서도 외로운 시기다. 보일 듯 말듯 한 뜬구름을 잡아보겠다며 젊음과 열정을 투자(投資)하며 허송세월(虛送歲月)을 보내는 사람들은 어느 시대에나 있기 마련이고, 내 역시도 그 허송세월(虛送歲月)의 한 귀퉁이에서 뭔가를 이루겠다며 웅크리고 앉아 있었던 것 같다. 그런 시절에 그녀는 황석영의 소설 '오래된 정원'에서처럼 갑자기 환하고 찬란한 불빛처럼 내게 다가왔다.

친구의 아내가 우연한 기회에 자기학교 후배 교사를 나에게 소개해 주었는데 미인형은 아니었지만 긴 인중선과 고혹(蠱惑)적인 입술을 소유한 동갑내기 여자였다. 처음 만난 이후로 토요일 오후면 나는 자주

法書를 덮고 그녀에게로 달려가곤 했었다. 그녀의 근무처인 시골중학교 주위에는 댐을 중심으로 빙어회(빙어무침)와 빙어튀김이 유명했는데 그곳에서 나는 빙어회라는 것을 처음 먹어 보았다. 마침 그녀가 가르치는 반 학생의 학부모가 운영하는 식당이 있어서 자주 들렀고 우리 일행이 가면 주인부부는 여간 반가이 하지 않았다.

걸신들린 듯한 식탐으로 빙어회를 실컷 먹고 나면 주말에는 텅 비어있기 마련인 학교 관사(官舍)에서 친구 부부와 함께 넷이서 밤늦도록 타짜(고스톱) 놀이도 하였고, 댐 주변을 한 바퀴 질주하는 드라이버를 즐기다가 새벽이 다 되어서야 도둑고양이 마냥 슬그머니 白蓮庵으로 기어 들어오곤 했었다.

자가용이 흔치 않든 시절이라 그녀가 태워주던 자동차 옆 좌석에 앉아서 귀가하는 새벽시간은 그대로가 깊고도 평온한 경이(驚異)였다. 새벽의 교요는 그녀와 나의 숨소리만 남긴 채 끝없이 이어졌고, 반대 차량에서 가끔씩 헤드라이트 불빛만이 음영 짙은 그녀의 얼굴을 비출 뿐이었다, 길고 사나운 꿈에 가위눌려 있는 듯한 현실에서 벗어나 천길 벼랑처럼 아득한 불면의 밤을 걷어내고 그녀와 함께 맞이하는 그 새벽이 그렇게 좋을 수 가 없었다.

고혹(蠱惑)이라는 말로는 다 나타낼 수 없을 만큼 강렬한 이끌림과 새벽이 주는 묘한 마력에 압도되어 그녀와 백연암(白蓮庵) 앞에서 나눈 첫 키스의 추억(追憶)은 세월 지난 지금에서도 달콤한 기억으로 남아 있다. 어느새 나이는 사십대 중반에 이르렀고, 이제는 속절없이 공직(公職)의 말석(末席)에서 열심히 살다가 늙어갈 수밖에 없다는 예감으로 촌티 찬란하게 살아가던 중 의식의 표면에 그녀가 다시 떠오른 것은 몇 년 전 진주역에서 근무할 때 받은 건강검진(健康檢診)에서 디스토마가 검출되었을 때 이었다.

일반적으로 디스토마는 민물회를 먹은 사람들에게서 많이 검출되는데 회 자체를 그다지 좋아하지도 않았거니와 더욱이 민물회는 내 기억으로는 그때 먹은 빙어회가 전부였다. 급히 병원으로 달려가 처방받은 알약을 먹고, 그 후유증으로 이틀 동안이나 거의 혼절 하다시피 했었다. 디스토마 약이 독하다는 사실을 새삼 실감하는 순간이었다. 주제에서 조금 벗어나는 것 같지만, 작가 공지영의 소설 중 '별들의 들판'이라는 책에 이런 구절이 있다.

"이미 지나가버린 것이 인생이고 누구도 그것을 수선할 수 없지만, 한 가지 할 수 있는 일도 있다. 그건 기억하는 것, 잊지 않는 것. 상처를 기억하든, 상처가 스쳐가기 전에 존재했던 빛나는 사랑을 기억하든, 그것을 선택하는 일이었다. 밤하늘에서 검은 어둠을 보든, 빛나는 별을 보든, 그것이 선택 인 것처럼."

- 공지영 '별들의 들판' 중에서

그녀와 나의 만남이 그러했고, 이별이 그러했고, 지금의 현실(現實)

이 그러하다. 오금저리는 추억이 있었든, 종교적 이유로 결별을 하였든, 빙어회에서 디스토마를 옮았든, 그녀와 눈부신 사랑을 하였든, 우리들의 선택(選擇)은 언제나 결과만 있을 뿐이다. 이제 와서 이미 배고픔과 추위를 면할 옷들을 켜켜이 껴입은 현실(現實)에 무엇이 달라질 수 있을까?......,

서울에서 진주라 천리 길을 달려 시골역까지 나를 찾아온 손님들이라 고맙기도 하거니와 반가운 마음에 직장에는 연가를 신청하고 점심 식사를 같이했다.

술이 몇 순배 돌고 분위기가 무르익을 쯤 그녀가 느닷없이 물었다.

'테이머씨! 이제 유적(流謫)은 끝난 건가요?'
'유적?.....'

골방에서 또아리를 틀고 있던 시절, 설익은 시 건방으로 세월을 보내던 그 시절에 술이라도 한 잔 마시면 나는 '유적'이니 '과객'이니 '주변인'이니 하는 표현들을 자주 쓰면서 낙오자의 쓰라림을 과장하곤 했었는데, 세월이 한참이나 지난 지금까지 그녀는 아직도 그 말을 기억하고 있었다.

기억(記憶)이란 느닷없는 방문객(訪問客) 같은 것이어서 나 자신도 잊고 있었던 지난시절의 모습들이 그녀의 말 한마디에 무슨 상처처럼 가슴 싸하게 되살아났다. 하지만 낮술에 취해서인지, 당황해서인지 끝내 나는 그녀의 물음에 아무른 답을 하지 못했다. 낙오자의 불안감으로 과장의 혐의가 짙었던 그 시절의 '유적(流謫)'에는 그런대로 실낱같은 희망이라도 있었지만, 이제는 점점 벗어날 가망 없는 현실이 되어가고 있는 유적(流謫)! 그 쓸쓸한 니힐(허무)의 잔에 고개 숙이며 나는 디스토마 옮았던 그 시절(時節)의 빙어회 추억(追憶)만 과장스럽게 이야기했을 뿐이었다.

묵은 친구와 함께한 KTX 여행

『진정으로 사랑했던 고향에로의 통로는 오직 기억으로만 존재할 뿐 이세상의 지도로는 돌아갈 수 없다. 아무도 사라져 아름다운 시간 속으로, 그 자랑스러우면서도 음울한 전설과 장려한 낙일도 없이 무너져 내린 영광 속으로 돌아갈 수 없고, 현란하여 몽롱한 유년과 구름처럼 허망이 흘러가 버린 젊은 날의 꿈속으로 돌아갈 수 없으므로.
한 때는 열병 같은 희비의 원인이었으되 이제는 똑같은 빛깔로만 떠오르는 지난날의 애증과 낭비된 열정으로는 누구도 돌아갈 수 없으며 강풍에 실이 끊겨 가뭇없이 날려 가버린 연처럼 그리운 날의 옛 노래도 두 번 다시 찾을 길 없으므로……,』

남해고속도로를 달리면서 얄궂게도 『이문열 작가의 한 작품 중의 에필로그』가 그날의 내 마음과 똑같았다. 내 꽃피는 젊은 날의 뜨락이었고 세월의 비바람에 바래지지 않을 옛 친구를 만나기 위해 이른 아침에 서둘러 길을 나섰건만, 이미 농번기가 시작된 들판에는 농부들의 바쁜 손놀림으로 분주한 모습이었고, 잘 정리된 논경지의 경계선에는 이름 모를 들꽃들이 파랗게 손을 내밀고 있었다.

부산까지 운전하기에는 부담스러운 거리라 마산역에 차를 주차하고 사무실에 잠깐 들렀더니 모두들 이 시간에 뭔 일이냐고 난리다. 며칠 전에 있었던 지리산 산행을 무슨 영웅담처럼 신나게 떠들고 따뜻한 커피가 다 식어갈 쯤에 부산행 무궁화호 열차가 장내로 진입하고 있었다. 잘 다녀오라는 직원들의 인사를 뒤로하고 나오는데 절친한 한 직원은 내 책속의 칫솔을 보고는 벌써 작업(?)들어갈 거냐고 음흉한 눈빛을 보냈다.

사실은 잘 아는 지인이 출간한 책을 오늘 만날 그 친구가 아직 못 봤다기에 전해주면서 건네줄 칫솔이었다. 20여년 만에 만나는 옛 친구에 대한 선물치고는 조금 빈약했지만 내 나름의 이유는 있었다. 하루에도 몇 번은 양치질을 할 것이고 그 때 마다 내 생각하라는 뜻에서 준비 한 건대 그날 막상 전해주면서는 그냥 넌지시 쓰윽 주고 말았다.

이제는 내 마지막 학적이 돼버린 그곳에서 그 친구를 처음 만났고, 어렵고 힘든 삶의 고비를 넘기고 있었던 신산스러웠던 그 시절에 나에게 많은 위안과 격려를 아끼지 않은 고마운 친구였다.

흔히들 80년대를 급속(急速)한 경제 발전과 함께 풍요가 시작된 시기라 하지만 80년대 초반 까지만 해도 풍요의 열매보다 서민과 농민의 궁핍이 더 우위에 있었던 시대였다. 대학을 다닌다는 것 자체가 사치로 여겨지기도 하는 시절이었다.

그 시절 나는 경제적 궁핍함과 가족사적인 아픔을 숨기기 위해 노력했지만 궁색함을 온전히 숨기지는 못했던 모양이었다. 어쩌다 캠퍼스에서 마주치면 그 친구는 학생식당에서 커피와 점심을 종종 사주기도 하였으며, 방학 때는 편지도 자주 주고받으며 그 또래의 고민과 사연들을 공유하기도 하였다.

그 친구는 편지 말미에 항상 '그래도 가장 좋은 것은 앞날에 남아 있으리. 우리의 출발은 그것을 위해 있었으리.' 잉그리드 버그만 같은 명대사로 나를 격려해주곤 했었다.

이런저런 옛 추억의 상념에 빠져있는 사이 열차는 어느새 종착역인 부산역으로 진입하고 있었다. 부산역에 내리는 순간 시골 간이역에 비해 엄청난 규모의 역사에 우선 기가 죽었다. 본선에는 이미 우리가 타고 갈 KTX 제 14열차가 전선되어 있었다. 바삐 움직이는 인파에 쓸려 나오면서 우리가 만나기로 한 역 광장 시계탑을 찾았다. 그러나 우리가 만나기로 되어 있는 시계탑은 광장 그 어디에도 없었다. 이번에 역사 증축을 하면서 없앤 것이 분명했다.

친구와 나를 태우고 떠날 부산→대전행 KTX는 출발 시간이 다 되었는데 초조함이 더 할수록 본선에 있는 고속열차가 떠날 것만 같았다. 한번 흘러가버린 강물을 뒤따라 잡을 수 없듯이 그 누구도 정시에 떠나는 열차를 세울 수는 없다. 출발 5분여를 남겨놓고 한 번 더 광장을 수배할 쯤 저쪽 나무그늘 아래에 서 있는 그 친구를 드디어 찾았다. 반가움의 인사도 생략하고 친구와 나, 둘이는 역 광장을 가로질러 KTX 승강장으로 뛰기 시작했다. 20여 년 전 그 때의 캠퍼스에서처럼......,

KTX 개통 초기임에도 객실에는 많은 승객들로 붐볐다. 정해진 자리에 앉아서 가족이야기, 직장 이야기, 학교 때 이야기 등 그동안 살아온 사연들을 쉬지 않고 이야기 하는 동안 기차는 어느새 목적지인 대전역에 도착했다.

역 주변의 적당한 식당에서 점심을 먹고, 대전 시내의 봄기운을 잠깐 만끽하고 다시 대전→부산행 KTX에 올랐다. 내려오는 기차 안에서 그 친구가 편지 한 묶음을 느닷없이 꺼냈다. 방학 때, 군 복무시절 서로 주고받은 편지를 지금껏 보관하고 있었다며, "이제는 원래주인에게 돌려줘야겠다."고. 절망과 궁핍의 시기를 떠나보낸 축하의 선물이라며 건네준 그 편지는 오래 전(20여 년 전) 내가 보낸 편지들이었다.

진주행 기차 환승을 위해 나는 밀양역에서 하차하고, 부산역 까지 가는 그 친구는 KTX에 남겨둔 채 서로의 건승을 기원하며 헤어졌다. 밀양역 광장에 앉아 내 젊은 날의 편린들이 점점이 박혀있는 오래된 그 편지를 읽어 내려갔다. 설익고 황량한 영혼의 시각(視角)을 나열한 부끄러운 내용이 많았지만, 일부 내용에는 그 무슨 열병처럼 지나온 내 젊은 날의 비망록들이 영원한 그리움과 회한으로 숨 쉬고 있었다.

20대 초반의 덜 여물고 상처받은 영혼의 추억들을 되새김질하며 담배 한 개비를 피워 물었다. 어느새 눈가에 눈물이 흥건히 젖었다. 딴에는 열심히 산다고 살았지만 젊음을 허비한 내 지난날의 과장되고 설익은 관념들과 비애들, 그들 모두를 담배 한 개비 속에 다 태우고 싶었다. 편지를 다 읽고 난 후, 내가 쓰고 내가 보낸 과거의 그 편지들 속에서 역설적이게도 미처 깨닫지 못한 생명력의 불꽃이 일깨워졌다.

어느 책에서 읽은 '절망은 존재의 끝이 아니라 그 진정한 출발이다' 는 그 역설을 깨닫는 순간 '진주행 열차를 이용하실 고객은 입장하여 주시기 바랍니다.'는 밀양역 안내방송이 들려왔다. 나는 자리에서 일어나 서둘러 승강장으로 들어가서 진주행 KTX에 올랐다. 안개처럼 서린 우수(憂愁)와 애상(哀想)의 지난 시절은 밀양역 광장에 남겨두고......, 묵은 친구와의 의미 있는 KTX 여행은 그렇게 막을 내렸다.

PS) 편지 속에 그녀가 보낸 쪽지에는 다음과 같은 내용이 있었다.

- 사랑이건 뭐건 시간이 흘러 그 때 왜 그랬을까 생각하면 온전히 설명할 순 없지만 그건 젊었었기 때문이라 생각해. 그래서 젊은 시절의 기억은 찬란하지만 아프기만 한건지도 모른다. 그 때 우리들 곁을 스쳐갔던 길동무들이 그리운 건 그 때의 우리들은 다 같이 젊었었기 때문이 아닐까? 그 시절의 어설픔과 미숙(未熟)들은 값진 통과의례(通過儀禮)로 여겨주길 바래. 한층 더 사려 깊은 정신으로 나아가는 너를 믿고 싶어. 언제나 응원할게. -

약속(約束)

약속(約束)의 중요성에 관한 고전(古典)의 머물 중에 미생지신(尾生之信)이라는 한자성어가 있다. 춘추전국시대 노(魯)나라에 미생이라는 사람이 살았는데 그는 성품이 우직해 한번 약속을 하면 목숨을 걸고서라도 지키는 것으로 유명하였다 한다.

하루는 사랑하는 여인과 다리 아래에서 만나기로 약속했는데 여인이 약속시간이 다 되어가도 오지 않았고, 마침 그날따라 폭우가 내려서 미생이 서있는 다리 아래는 물이 넘쳐 위험하게 되었다.

다리 위에서 이를 지켜보고 있던 사람들이 위험하니 어서 피하라고 외쳤지만 미생은 그 여자와의 약속을 지켜야 한다는 신념 하나로 다리 아래 교각(橋脚)에 의지해 꼼짝 않고 버티다가 끝내 불어난 물에 휩쓸려 익사(溺死)하고 말았다는 내용이다. 오늘날의 가치판단으로는 도저히 이해할 수도 없고 미련하기 짝이 없는 미생의 행동이지만, 우리가 살아가는 동안 맺어지는 인간관계에서 약속(約束)이 얼마나 중요한 것인가를 다시 한 번 생각하게 하는 고사성어(故事成語)가 아닌가 싶다.

세월이 흘렀고, 시대가 다르고, 가치관도 많이 변했지만 미생지신(尾生之信) 약속의 기본 개념은 지금의 시대에도 여전히 유효(有效)하다고 본다. 오히려 다변화 사회에서 살아가는 오늘날에는 아침부터 저녁까지 매일 반복(反復)되다시피 하는 약속(約束)의 시대에 살아간다 해도 과언이 아닐 정도다. 가벼운 식사약속에서부터 자녀들과의 여행약속(旅行約束), 중요한 비즈니스 약속에 까지 말로다 표현할 수 없을 정도로 약속 종류는 많다.

내가 알기로 민법(民法)의 대전제인 신의성실(信義誠實)의 원칙도 약속에서 출발했으며, 우리가 재미있게 감상했던 전도연 박신양 주연의 영화 『약속』에서 조폭 보스와 여자의사가 신분의 벽을 뛰어넘어 득점과 연결될 수 있었던 것도 미생지신(尾生之信)의 약속이 전제되었기 때문에 가능했던 것이다.

이렇듯 약속은 우리들의 일상을 지배하며, 약속의 철저한 이행이 그 사람의 인품이나 사회적성취도(社會的成就度) 내지는 신용도(信用度)를 결정(決定)하는 중요한 잣대가 된다고 보면 틀림없을 것이다.

모든 것이 뜻대로 풀리지 않고 내 날은 영영 돌아오지 않을 것이라 체념했던 실의(失意)와 좌절(挫折)의 시기(時期)를 뒤로하고, 99년 공직(公職)의 끄트머리에 겨우 자리 하나를 마련하여 새 출발을 하자마자, 나는 지난 시절에 대한 무슨 앙갚음이라 하듯이 만사 제쳐놓고 골프채부터 장만 했었다.

그 어떤 질 나쁜 보상심리(報償心理)가 아니었는가 싶다. 지난 시절의 가난하고 실패(失敗)의 예감(豫感)이 짙어지는 내 인생을 한꺼번에 보상(報償)해 줄 수 있는 상징적(象徵的)인 대상을 찾던 중, 여론 주도 층 내지는 상류사회(上流社會)의 전유물(專有物)로 상징되던 골프를 생각했고, 뽄지기 좋아하는 성격상 하루라도 빨리 나도 그들의 풍성한 식탁(食卓) 옆에서 같이 헤헤거리고 싶었다. 직장은 구했지만 당장 일용의 양식걱정을 해야 하는 내 처지가 크게 변한 것도 아니었는데도 골프에 관한 책부터 구입하고 뭐가 뭔지도 잘 모르면서 열심히 읽어나가기 시작했다.

그 때 읽은 책 첫머리에 나온 제목이 "골프약속"이었다.

스코틀랜드 어느 골프장에서 상여(喪輿)가 지나가는데 라운딩을 하던 한 골프가 공을 치다말고 조용히 그 상여(喪輿) 앞에서 묵념(默念)을 하더라는 것이다. 동반골프들이 왜 그러냐고 물으니까 그 남자 하는 말 "오늘이 제 아내 출상일입니다."라고 하더라는 것이다. 그 남자는 아내가 죽은 상중(喪中)이었음에도 불구하고 골프약속 만큼은 지켰다는 것이다. 다소의 과장이 있고 인륜(人倫)에 반하는 내용이지만 그만큼 골프약속은 중요하고 부킹이 확정되면 꼭 지켜야 한다는 뜻이다.

딴에는 약속개념이 정확하다고 자부하면서 살았고 지금껏 크게 어긴 적이 없었지만, 근자에 나도 본의 아니게 약속을 못 지켜 큰 낭패를 본적이 있다. 조직에 소속되어 살아가다 보니 조직구성원의 부탁을 받고, 컨트리클럽 회원권을 소유하고 있는 친분 있는 지인에게 부킹을 부탁하여 라운드 예약을 성사시킨 적이 있었는데, 파업과 관련한 긴급

감사 일정을 이유로 라운드 이틀 전 갑자기 약속을 취소하는 바람에 중간에서 오가도 못하는 난처한 입장이 되고 말았다.

부킹해준 그 지인에게는 미안하고 송구스러워 몸 둘 바를 모를 지경 이었다. 결국 부킹을 해주었던 그 지인은 약속(부킹)위반으로 인한 위약금(違約金)을 골프장에 지불하였고, 나는 본의 아니게 약속불이행(約束不履行)의 원인 제공자가 되어버렸고, 평소 친분 있는 그 지인의 마음에 상처를 남긴 게 아닌가 하는 자책감(自責感)에 마음고생을 크게 하였다.

그날 이후, 지금의 내 위치와 현실에 괴리감(乖離感)이 있고 경제적 비용도 만만치 않은 골프를 운동으로 선택한 것 자체에 대한 회의감과 함께 그리스 신화에 나오는 이카루스의 날개처럼 분수에 맞지 않게 내가 너무 높이 날려고 했던 것이 아닌가 하는 생각에 한동안 골프를 멀리 했었다. 하지만 필드위에 새록새록 잔디가 피어오르는 봄이 오고, 인도어에서 공 때리는 경쾌한 소리 들려올 때면 참새가 방앗간을 그냥 지나치지 못하듯이 마음은 벌써 필드로 달려가고 있었다.

골프에 대한 사회적인 분위기도 우호적(友好的)으로 바뀌었고, 내 자신도 직장(職場)과 가정(家庭)에 충실하면서 건강을 위해 운동을 해야 한다는 적극적인 마인드로 마음을 바꾸면서 골프는 어느새 일상속의 중요한 약속으로 여겨지게 되었고, 백구백상(白球百想 - 흰공에 백가지의 상념이 있다-)의 영역속의 운동으로 자리매김하게 되었다.

벌써 초등학생!

숙모가 사준 새 가방을 메고, 이모가 안겨준 새 신발을 신고, 아빠 친구가 선물한 새 옷을 입고, 1학년 5반 초등학생이 된 김은지! 은지의 입학을 아빠가 큰 목소리로 축하한다.

꽃샘추위에도 아랑곳하지 않고 입학식 내내 초롱초롱한 눈빛으로 빛나던 우리 은지가 아빠는 너무 대견스러웠다. 바쁜 병원일로 참석 못한 엄마를 대신하여 아빠와 할머니가 용감하게 나섰지만 속으로는 내심 걱정했었다. 혹 우리 딸이 기죽지는 않을까? 엄마 안 왔다고 투정부리지는 않을까? 은지의 입학식 날을 위해 새로 구입한 체크무늬 넥타이를 몇 번을 고쳐 메며 마음 졸였단다.

하지만 언제나 그랬듯이 우리 딸은 아빠를 감동시켰다. 슬그머니 내민 아빠의 손을 꼭 잡아 주었고, 담임선생님의 호명에 가장 큰 목소리로 대답하였으며, 새로운 친구들과 정답게 이야기 나누는 모습에서 어느새 훌쩍 큰 은지의 모습을 볼 수 있었단다.

아빠에게 은지는 복덩어리였다. 은지가 태어나던 해 아빠가 공무원 시험에 합격을 했고, 엄마도 새로운 병원에 취직을 했으니 전문용어로 대박이 터진 것이다. 은지로 인해 우리 가정에는 늘 웃음과 행복이 넘

치고, 온 가족이 고마움과 사랑의 힘으로 충만하니 그저 감사하고 고마운 아빠 딸이다,

사랑하는 은지야!

유치원과 비교 할 수 없는 학교라는 큰 공간이 처음에는 조금 낯설고 힘들지라도 그곳에는 좋은 친구들이 있고, 훌륭하신 선생님들이 새롭고 흥미로운 세계로 나아가는 은지를 도와 줄 것이다. 물론 엄마와 아빠도 열심히 은지를 응원할 것이다. 새봄의 대지위에 힘차게 출발하는 은지의 초등학교 입학을 다시 한 번 축하하면서 좋은 친구들 많이 사귀고 건강하게 생활해라.

우리 딸 파이팅!

LAW School에 입학하는 아들에게!

사랑하는 아들!

3월의 시작과 함께 겨우내 얼었던 대지위에도 봄기운이 완연하구나. 집 앞 마당의 매화나무는 벌써 흰 꽃을 피우고, 산수유도 노란색으로 물들었다. 이 모두 27년 전 네가 태어나던 해 벚꽃나무, 목련나무와 함께 기념으로 식수한 나무들이다. 이른 봄에 가지치기와 약간의 비료와 거름을 준 것 외에는 딱히 보탠 것이 없는데도, 자연의 순리에 따라 봄이 오면 가장 먼저 봄소식을 알려주는 꽃들이다. 특히 올해 봄은 이제 막 발길질을 시작한 땅속의 씨앗들처럼 새로운 파종과 경작을 준비하는 너를 응원하는 희망과 열정의 봄날이라 여느 때 보다 더 의미 있는 새봄의 전경이다.

작년 이맘 때 쯤 잘 다니던 직장을 그만두고 전역을 하겠다는 너의 말을 들었을 때 뜨악했었다. 항공관제사의 업무가 딱히 적성에서 벗어나는 것도 아니었던 것 같고, 세속적인 시각이지만 관제사라는 직업은 쉽게 허락되지 않는 직종의 특수성과, 보람, 성취도가 높은 것이었기에 더더욱 그랬다.

자기인생의 개척(開拓)과 새로운 것에 대한 도전(挑戰)은 오롯이 본인의 몫이고, 누구도 대신 해줄 수 없는 선택의 영역이기에, 염려 반 기대 반의 시선으로 지켜 볼 수밖에 없었다. 다행히 LEET라 불리는 법학적성 시험도 잘 보고, 원하는 법학전문대학원(法學專門大學院)에 진학하게 되어 얼마나 다행스럽게 생각했는지 모른다. 엄마의 표현대로 하면 첫 단추가 잘 끼워져서 한 시름 내려놓은 것이고 경사스러운 일이라, 아버지의 어깨는 으쓱해지고 한껏 고무되었다.

  하지만 세상에 공짜는 없는 법, 네가 선택한 그 길은 험난(險難)하기 짝이 없는 길이다. 현대사회에 있어서 난다 긴다 하는 이과의 인재들이 의대에 몰리듯이, 방귀깨나 뀌는 문과 선수들이 법전원(法學專門大學院)에 몰리는 상황이 오늘의 현실이기 때문이다. 서양(西洋)에서도 숱한 천재(天才)를 삼킨 학문 중에 법학(法學)이 있음을 알고 있지만, 유독 우리사회는 의학(醫學)과 법학 (法學)쪽에 쏠림 현상이 심화(深化)되고 있고, 그 만큼 경쟁(競爭)은 더 치열해 지는 것 같다.

  아름다운 정원을 갖기 위해서는 허리 굽혀 땅을 파야 하듯이 네가 소망하는 그 지향점(志向點)에 도달하기 위해서는 이제부터 부단한 노력(努力)과 고도의 집중력(集中力)을 발휘해야 할 것이다.

  그런 의미에서 로마시대에서부터 내려오는 『유스티니아누스가 명예를 준다』는 법언(法諺)은 지금에도 시사 하는바가 크다고 하겠다.

이 말은 독일의 법학자 '라드브루흐'가 법학을 공부하는 젊은 학도들의 세 가지 분류 중 첫째 부류의 학생들을 지칭한 것으로 『학문에는 별로 관심이 없고, 남들의 권유에 지망하게 된 케이스』를 지칭하고, 이들은 빵을 위한 학문으로 법학을 선택한 사람들이며, 이러한 사람들은 별로 기대할 바가 못 되고, 이들이 설령 법률가가 된다 하더라도 국민 생활에 손해를 주면 주었지 이익을 주지 못하는 존재가 된다 하였다.

두 번째 타입은 『지식은 우수하나 인성이 부족한 케이스다』

이들은 대게 학창시절에 우수한 성적을 거둔 우등생(優等生)들로서 부모나 주위의 권유에 따라 법학을 선택한 자들이며, 법학도(法學徒)가 된 그들은 실제적인 흥미에 의해 방해받지 않고, 냉정하고 논리적인 성격 때문에 우수한 성적을 유지한다. 이들은 법학자(法學者)가 되던 법률실무자(法律實務者)가 되던 대체로 유능하다는 평을 받는다.

법률가의 과제가 매우 형식적이고 별다른 창조성을 요구하지 않는 한에서는 이들을 가리켜 '전형적인 법률가라고 해도 과언이 아니다'라고 했다.

그런데 '라드브루흐'는 주목해야 할 부류는 세 번째라고 했다.

이들의 특징은 **강렬하고 섬세한 감수성을 가지고 철학, 예술, 혹은 사회와 인도주의에 관심**을 기울이면서도 외부 사정 때문에 부득이 법학을 택할 수밖에 없었던 젊은이들이다.

예컨대, 집안이 가난하여 학자나 저술가 같은 불안정한 직업을 택할 수 없었거나, 예술(藝術)에 뛰어난 재능을 가지고 있지만 창작활동(創作活動)을 업(業)으로 할 수 없었던 사람들일 것이라고 했다. 이들은 당분간 법학을 선택하면 지적(知的)으로나 감정적으로 시간과 정력을 절약할 수 있을 것이고, 그 틈을 이용하여 자기 본래의 취미방면(趣味方面)에 정진(精進)할 수 있을 것이라고 했으며, 이들은 법학에 대하여 깊이 고민하고 때로는 도중에 포기하고 마는 수도 있지만,『끝까지 법학을 공부하고 나면 누구보다도 훌륭한 법학자와 법률가가 될 수 있다』고 했다. 방금 네가 열고 들어온 문이 목적지(目的地)에 도착(到着)한 종착(終着)이 아닌 새로운 출발선상의 스타트 라인에 선 법학도(法學徒)에게 참고할만한 법언(法諺)이고 지혜(知慧)의 말이라 하겠다.

사랑하는 아들!

나름의 준비와 각오를 가지고 임하여도 처음에는 법학을 공부함에 있어서 비법학 출신의 어려움이 있을 것이다. 법적사고력(Legal Mind)을 끊임없이 키워야 할 것이고, 방대한 법조문(法條文)과 법률용어(法律用語)를 익히고, 쟁점사항 파악과 법규적용(法規適用) 등을 통한 결론에 이르기까지 판례(判例)와 학설(學說)은 넘쳐날 것이다. 하지만 이미 정해진 선택(選擇)이고, 가야만 하는 길이라면 좌고우면(左顧右眄) 하지 말고 부지런히 절차탁마(切磋琢磨) 하여야 할 것이다.

이것은 통과해야만 하는 길이고, 한 시간이라도 더 노력하면 그 만큼 빨리 목적지(目的地)에 도착(到着)하게 된다, 그러면 빨리 자유로워

질 수 있다.

　법학(法學)의 곳간에서 지혜(智慧)의 알곡을 골라내고, 그 속에 들어 있는 영감의 씨앗을 너의 인생(人生)이라는 밭에 뿌리고 가꾸는 것은, 오직 아들! 너 자신밖에 없음을 명심하고 용맹정진(勇猛精進)하길 바란다. 여기 고향(故鄕)의 가족(家族)과 팬들은 아들의 건투를 빌고 있고, 항상 응원하고 있다. 지혜의 알곡이 사랑하는 아들의 가슴과 머리에, 아니 온몸에 넘쳐나길 기원하면서 오늘은 이만 줄인다. 건강에 유의하면서 학업에 임하길 바란다.

　　　　　　　　　　　　　　　　- 3월 초순 집에서 아빠가 -

내가 본 영화

시간이 흘러도 오래 동안 기억나는 영화 속의 명장면과 명대사가 있다. 자주는 아니지만 가끔씩 찾은 영화관에서 감상한 잊지 못할 명장면과 명곡들을 추억 하는 건 영화 그 이상의 감동이고 설렘이다. 그러한 명장면과 명곡들의 선율은 영화적인 재미를 넘어 우리네 인생살이의 의미를 듬뿍 담아주는 또 하나의 풍경들이다.

【러브 스토리】

‖주연 : 알리 맥그로우, 라이언 오닐‖

『사랑한다면 미안하다는 말은 하는 게 아냐』

Love means never having to say you're sorry.

하얀 눈 내리는 겨울, 눈밭을 뒹굴며 장난치는 연인! 오랜 시간이 흘러도 많은 청춘남녀들이 꿈꾸는 영화 속 최고의 명장면이다. 명문가의 자제 **올리버**와 가난한 이민자 가정의 딸 **제니**는 사랑에 빠지고, 두 사람은 양가의 반대에도 불구하고 결혼한다. 하지만 제니에게 백혈병이 찾아오고 짧지만 강렬했던 사랑, 애틋했던 사랑은 끝이 난다. 다시 봐도 가슴이 먹먹해지고 콧날 시큰한 사랑 영화이다.

1996년 겨울, 그해 겨울에 나는 지금의 아내를 만났다. 직업도, 배경도, 경제력도 없는 백수 시절이었다. 결혼을 하고 가정을 꾸리기에는 모든 것이 전무한 자격 미달의 남자였다. 그래도 약간의 염치와 양심은 있었든지 나는 그녀에게 헤어지자고 했다. 미안하다는 말과 함께, 그 때 그녀가 나에게 러브 스토리 제니가 한 영화 속 대사를 인용했었다.

'사랑한다면 미안하다는 말은 하는 게 아니다.'라고.

다음해 봄! 4월의 햇살이 푸르던 날에 우리는 결혼을 했고, 아들, 딸 낳고 지금껏 잘 살고 있다. 나는 지금도 러브 스토리 영화를 가끔씩 본다. 그리고 제니가 말한 그 명대사, 명장면, 주제곡을 들으며 애틋하면서도 가슴 뭉클한 그들 청춘 남녀 사랑이야기에 베갯잇 적시는 감흥에 빠져들곤 한다.

【뷰티플 마인드(A Beautiful Mind)】

‖주연 : 러셀 크로우, 제니퍼 코넬리‖

게임(균형)이론(경쟁 상대들 사이에서 벌어지는 위협과 반응의 역학 관계를 균형의 개념으로 설명하는 이론)으로 유명한 미국의 천재 수학자 존 내쉬의 실화를 바탕으로 제작된 영화이다. 실제 존 내쉬는 정신분열증(조현병)으로 정신병원 입원을 통한 장기간 치료를 받았으며, 영화 '뷰티플 마인드'는 존 내쉬의 삶과 이러한 정신적 고난을 중심으로 그의 아내 앨리샤의 헌신적 사랑을 그린 작품이다.

1994년 내쉬 균형이론 등 다수의 업적으로 **노벨 경제학상을 수상**하면서 시상식에서 한 대사는 이 영화의 감동적인 명대사이다.

『**난 당신 덕분에 이 자리에 섰습니다. 당신은 내가 존재하는 이유이며 내 모든 이유는 당신이오.**』

I am only here tonight because of you. You are all my reasons. Thank you.

이 영화가 처음 나온 2000년 초반 그 시기에는 영화를 보지 못했는데, 최근 '아인슈타인과 괴델이 함께 걸을 때' 책을 읽는 과정에 존 내쉬를 만났고, 그의 수학적 천재성과 학문적 업적을 알게 되면서 '뷰티플 마인드' 영화도 같이 감상하게 되었다. 사랑의 힘이, 특히 부부간의 헌신적이 사랑이 역경을 극복하고 어려움을 이겨내는 큰 힘이 될 수 있음을 깨닫게 해주는 감동적인 영화 속의 명대사였다.

【대부(God farther)】

『친구는 가까이, 적은 더 가까이』

Keep your friends close, but your enemies even closer.

상남자들의 이야기로 생각하는 사람들이 있지만, 영화 '대부'는 영화사의 큰 획을 그은 명작 중의 명작이다. 주연을 맡은 배우(말론 브란도, 알파치노, 로버트 드 니르)들의 연기도 뛰어나지만, 영화 속의 대사(臺詞), 소품, 손짓, 배경음악 등 이 모든 것들은 마피아 느와르를 뛰어 넘은 영화사의 걸작으로 평가된다.

대부의 수많은 명대사 중 『친구는 가까이, 적은 더 가까이』는 대부 2편에서 마이클의 집이 총기 습격을 당하고, 그와 그의 아내 자식들은 무사했지만, 집은 쑥대밭이 된다. 마이클(알파치노)은 조직의 지휘권을 '톰'에게 넘기고 범인을 찾아 나선다. 그는 내부에 배신자가 있을 거라 추측했고, 프랭크를 의심하고 그를 찾아가서 나누는 대화중에 어릴 적 마이클이 그의 아버지 대부(비토 끌레오네)가 그에게 한 말을 인용한 대사이다.

열차의 기적소리 애잔하게 들려오는 날, 앞산의 골짜기에 푸르스름하게 그림자 지는 날에는 장엄한 음악과 하께 시작하는 영화 대부를 생각하며 시대를 초월한 명작 '대부'의 명대사『친구는 가까이, 적은 더 가까이』를 읊조리곤 한다.

【7일간의 사랑(Man, Woman And Child)】

‖주연 : 마틴 쉰, 블리드 대너‖

1987년 여름에 나는 부산의 온천동에 있었다. 86년 겨울에 입대하여 배치 받은 곳이 부산 온천동의 전경 부대였다. 6주간의 훈련소 생활을 마치고 본인의 의사와 상관없이 전경으로 차출되었고, 그곳에서 27개월 동안 병역 의무를 다했다. 병영 생활 중 순번에 따라 휴가, 외박을 나가곤 했는데 그해 여름 어느 주말에 외박을 나왔지만 마땅히 갈 곳은 없었다. 하루치기 외박일 경우 보통은 서면의 대형 서점에 들러서 책 구경을 하거나, 서면 거리를 걸으며 민가의 공기를 마시며 걷다가 늦은 밤 부대에 복귀하는 것이 통상이었는데, 그날은 온천장의 영화관으로 향했다. 그 때 예정에 없이 본 영화가 7일간의 사랑이었다.

내가 이 영화를 기억하는 건 순전히 메인 테마곡 때문이다. 마틴 쉰,

블리드 대너가 열연한 7일간의 사랑 줄거리는 특별한 것은 없었다. 교수 신분인 '로버트'와 그의 부인 '쉴라'는 평범한 가정을 이루고 살고 있었는데, 과거 로버트가 프랑스 출장 중 7일간의 짧은 기간 동안 만난 '니콜'이라는 여의사와의 관계에서 생긴 아이가 있다는 연락을 받고, 남편의 외도로 인한 충격으로 부부는 티격태격 한다. 결국 부활절 날에 그 아이를 데리고 오기로 하고, 로버트는 공항에서 아이를 기다리는 중에 니콜과의 추억을 회상하는 장면에서 나나 무스꾸리가 부르는 **'사랑의 기쁨'** 이 화면 가득 흘러나온다.

그 뒤의 영화 줄거리는 생략을 하자. 기억도 가물가물 하거니와 영화 속의 결말은 로버트의 어린 아들 '쟝 끌로드'는 다시 프랑스로 돌아가게 되고, 그의 아내 '쉴라'는 공항에 달려 나와 어린 아이에게 작별의 키스를 해준다. 어린 아들과의 공항 작별 후 로버트(마틴 쉰)가 해변가를 혼자 걷는 모습에서 영화는 끝이 난다. 스물 두 살의 군인 신분이었던 나는 그날 밤 꿈결 같은 무스쿠리의 OST **'사랑의 기쁨'**을 흥얼거리며 늦은 밤 온천동 극장에서 부대까지 30여분을 걸어서 복귀했다.

"사랑의 기쁨은 어느 듯 사라지고, 사랑의 슬픔만 영원히 남았네. 그대여 내 사랑 어디에서 나를 보나 잡힌 듯 멀어진 무지개 꿈인가,......"

요즈음도 나는 가끔 출 퇴근 길에 차안에서 무스꾸리가 부르는 사랑의 기쁨을 들으며 이십대 초반에 본 그 영화 '7일간의 사랑'을 회상하곤 한다.

【쇼생크 탈출(Shawshank Redemption】

‖주연 : 팀 로빈스, 모건 프리먼‖

살인 누명을 쓰고 수감된 주인공 '앤디 듀프레인'이 악명 높은 쇼생크 감옥에서 19년 동안 탈출을 준비, 마침내 자유를 되찾게 된다는 내용의 영화이다. 영화 속 앤디가 우연히 LP음반에서 모차르트 곡 '피가로의 결혼'중 -저녁 산들바람은 부드럽게- 곡을 발견하고 방송실 문을 잠가놓고 허락도 없이 교도소 메인 방송으로 틀어 준다. 희망도 없는 세상과의 단절 속에서 죄수들은 백작부인과 수잔나가 함께 부르는 **'피가로의 결혼'** 음악을 들으면서 짧은 순간이지만 자유로운 영혼을 경험한다. 그 후 앤디는 교도소장에게 눈탱이가 밤탱이가 되도록 얻어터지고 2주 동안 독방에 수감된다.

스티브 맥퀸과 더스틴 호프만 주연의 고전명작 '바삐옹'이 어둡고 칙칙한 화면이었다면, 쇼생크 탈출은 기존의 어두운 교도소 영화 이미지를 벗어나 비교적 깔끔한 이미지화를 이뤘다는 평가를 받았다. 둘다 인간의 자유의지에 대한 갈망을 다뤘지만, 영화 흐름의 스타일리쉬를 꼽으라면 나는 쇼생크 탈출에 한 표를 던지고 싶다.

특히 영화 속 모차르트 곡의 사운드 트랙으로 쓰인 '피가로의 결혼'에 이르면 그 감동은 배가 된다. '피가로의 결혼'이 울려 퍼질 때 **감옥은 파빌리온의 정원이 되며, 죄수들은 피가로가 되고 수잔나에 대한 초야권(初夜權)을 상상하는** 듯하다. 희망이 단절된 교도소의 특수 공간에서 맞이한 선율 '피가로의 결혼'은 우리 모두의 영혼을 적셔주는 영화 속 또 하나의 명곡이고 명장면이었다.

【타이타닉】

‖주연 : 레오나르드 디카프리오, 케이트 윈슬렛‖

『여자의 가슴은 비밀스러운 깊은 바다와 같다』
A woman's heart is a deep ocean of secrets

올드 로즈(케이트 윈슬렛 분)가 오랫동안 잭에 대한 이야기를 마음 속에 품고 있다가 영화 말미에 과거를 회상하면서 한 대사이다.
1912년에 침몰한 타이타닉호의 실제 사건을 바탕으로 제작된 이 영화는 상류층 출신과 하류층 출신의 사회적 계층 차이에도 불구하고 잭과 로즈의 러브스토리를 중심으로 전개된다. 공간적 배경은 대형 유람선 '타이타닉'호다.

심리학자들은 이들 사랑의 형태를 리머런스(Limerence)라 하기도 하고, 공동 트라우마 개념으로 해석하는 사람들도 있다. 주인공 로즈는 잭과의 열렬했던 사랑을 숨기고, 평생 살아오다가 루이 16세가 걸던 56캐럿 다이아몬드(대양의 심장) 목걸이를 바다에 던지면서 이 영화는 끝이 난다. 잭과의 비극적인 슬픈 결말을 묵상으로 견뎌온 회한과 그리움의 작별의식이다.

누구에게나 비밀의 공간은 있다. 사랑이든, 아픈 이별이든, 사별의 고통이든, 바다보다 깊은 비밀의 사연들을 간직한 채 살아야 하는 비밀의 공간 말이다. 그래서 신은 인간에게 기억의 공간과 함께 망각의 공간도 함께 줬다. 올드 로즈는 '대양의 심장'을 깊은 바다 속에 던짐으로서 **잊는 연습을 마무리** 했으며, 우리는 오늘도 비밀스러운 깊은 바다와 같은 삶의 현장에서 하루하루 살아가고 있는지 모른다.

【겨울여자】

‖주연 : 장미희, 김추련‖

『히브리 노예들의 합창』

A chorus of hebrew slaves.

중앙일보에 연재된 장편소설을 영화로 만든 '겨울여자'는 1977년 가을에 개봉된 작품이다. 개봉 당시 58만 명의 역대 최다 관객 수를 동원할 정도의 흥행작이었다. 이 영화에서 흥행 못지않게 관객의 관심을 끈 것이 영화 삽입곡으로 선보인 **베르디 오페라 '히브리 노예들의 합창'**이다. 사실 영화의 스토리와는 어울리지 않는 뜬금없는 곡이지만. 영화의 흥행과 함께 일반인들에게 히브리 **노예들의 합창 선율을 알리고, 대중화 시킨 공로**는 영화 겨울여자인 것은 사실이다. 내가 이 영화를 본 것은 세월이 한참 지난 후 2번 동시 상영관의 어느 극장이었는데, 주인공 이화(장미희 분)와 석기(김추련 분)가 음악다방에서 흘러나오는 곡을 들으며 석기가 이화에게 자기가 가장 좋아하는 음악이라며 소개해주는 장면에서 이 노래를 처음 들었다.

'히브리 노예들의 합창'은 기원전 6세기에 바빌론에 포로로 끌려와 억압과 노예에 시달리는 히브리 노예들이 유프라테스 강변에서 그들의 조국 유다 땅으로 돌아갈 희망을 품고 부른 슬픈 노래이다. 이 곡은 이탈리아 작곡가 베르디가 1842년 3월 밀라노의 한 극장에서 공연되면서 소개됐고, 단숨에 이탈리아 독립운동의 상징이 되면서 베르디는 국민적 영웅이 됐다.

나는 영화 겨울여자를 통해 '노예들의 합창'을 알게 됐지만, 드라마의 스토리는 걷어내고 합창 선율의 멜로디만을 즐겨 듣는다. 야훼를 향한 구원을 갈구하는 듯 가슴을 적시는 장엄한 합창의 선율, 『도』에서 시작한 선율이 곧바로 두 옥타브 위 『도』까지 치솟았다가 다시 확 하강하는 부분을 들을 때면 그 감동의 전율에 몸까지 떨려 옴을 느낀다. 영화의 스토리 못지않게 영화 속 음악의 세팅이 중요함을 세상 느끼는 추억속의 영화 음악이었다.

【건축학개론】

‖주연 : 수지, 한가인, 엄태웅, 이제훈‖

건축학개론을 처음 본 것은 **와인열차** 안에서였다.

2013년쯤인가 **진주역에서 『와인시네마 열차』를 운행**했었는데 무제한 와인시음, 이벤트 체험, 영화감상 등 다채로운 프로그램으로 구성된 퀄리티 높은 여행상품이었지만 모객은 저조했었다. 진주역에서 처음 시행한 여행상품이라 홍보부족의 원인도 있었지만 가격대가 높았던 것이 주원인이 아니었던가 싶다.

하지만 여행에 참가한 고객들 반응은 대단했다. 기존의 기차여행의 단조로움과 획일성을 벗어나 기차 안에서 진행하는 레크리에이션이 무엇보다 압권이었다. 진행자들은 프로였다. 그들 프로들 덕분에 낯선 여행객들과도 금방 친숙해지고, 손뼉을 치며 크게 웃으며 일상의 스트레스를 날려버리는 추억에 남을만한 기차여행이었고, 좋은 기차상품이었다.

와이너리 체험과 견학 일정을 다 마치고 진주로 돌아오는 기차 안에서 나는'어디서 피곤한 몸을 놓일까?'를 고민하며 이 칸 저 칸을 살피던 중, 시네마 칸에 우연히 들렀다가 거기서 본 영화가 『건축학 개론』이었다.

피아노를 전공하는 음대생 서연과, 건축학을 전공한 공대생 승민, 둘의 만남은 건축학개론 수업에 지각해 뒷문으로 살짝 들어오는 서연을 보고 첫눈에 반하면서 시작된다. 건축학과 교수의 과제(집 주변의 사진을 찍어오라는 과제)를 이행하는 하는 도중, 우연히 마주치게 된 두 사람은 함께 과제를 하며 서로를 알아가는 과정에서 둘만의 공감대 형성과 함께 사랑이 싹튼다.

소심하고 사랑의 표현에 미숙한 대학 1학년(freshman) 청춘남녀의 사랑과 건축을 주제로 한 영화 『건축학개론』은 과거와 현재를 오가며 서로 다른 시간과 공간 속에서 각각 2명의 배우가 스토리를 엮어 나가는 로멘스 영화이지만, 영화 속 공간의 의미를 건축적 다양성과 이미지 대비를 통한 메시지전달은 기존의 영화 렌즈와는 다른 의미를 전달했다.

특히 서연과 승민이 강남의 어느 아파트 옥상에 올라가서 강남의 넓은 공간의 건축물을 조망하면서 대화를 나누던 중 서연이 '들을래?' 하면서 한쪽 이어폰을 승민의 귀에 꽂아주는 장면이 나온다.

더없이 넓은 서울의 지붕, 그 중에서도 부자들 동네라 일컬어지는 강남의 어디에도 자기들만의 공간은 없다. 둘만의 공간을 만드는 유일한 방법은 함께 이어폰을 꽂고 음악을 듣는 것, 둘이서 나눠 꽂은 이어폰 속으로 전람회가 부른 감미롭고 애틋한 노래 『기억의 습작』음악이 흐른다. 이 음악 속에서 처음으로 두 사람만의 공간을 만든다.

15년이 지나 다시 만나게 된 두 사람은 제주도 집짓기를 통해 잃어버린 그 시절 추억과 과거의 향수를 선사 하지만, 현실의 건축적 요소들은 그들이 공유한 과거의 청사진을 재발견하고 재건하기 위한 여정으로 봐야한다.

덜 여물고 미숙했기에 이별을 선택 할 수밖에 없었고, 그러한 선택의 결과와 시간의 흐름 속에서 영화 속에서 펼쳐지는 공간의 여러 장면들은, 순환적 변화에 따른 **사랑의 의미를 공간의 미학으로 밀도 있게 잘 풀어냈기에** 관객들의 공감을 얻어낸 것으로 보인다. 화면 곳곳에 흐르는 공간적 대비의 탁월함과 함께 영화적 재미에 한 몫 한 OST 『기억의 습작』도 배놓을 수 없는 영화 속 명곡이라 생각한다. 젊은 영

혼의 애틋한 사랑 이야기에 감미로운 음악은 영화의 감동을 더하기
때문이다.

♪ *기억의 습작* ♪

이젠 버틸 수 없다고
횡한 웃음으로 내 어깨에 기대어 눈을 감았지만♪

이젠 말할 수 있는걸
너의 슬픈 눈빛이 나의 마음을 아프게 하는걸 ♬

나에게 말해봐
철없던 나의 모습이 얼만큼 의미가 될 수 있는지♪

많은 날이 지나고 나의 마음이 지쳐갈 때

내 마음속으로 쓰러져가는 너의 기억이 다시 찾아와 생각이 나겠
지~~ ♬

신 발

진주00중학교 1학년 金譽憲

【2010 개천예술제 학생백일장 우수】

요즈음에는 신발이 다양한 용도로 상품화되어지고 있다. 옛날 조선시대나 1960, 1970년대 까지만 해도 오늘날처럼 신발이 다양화 되지는 않았었다. 그러나 신발이 아무리 다양화 된다고 해도 용도는 같다. 신발은 우리의 발을 보호하고 활동할 때 보다 편안하게 해주는 것이다. 대개의 사람들은 신발이 편하면서 자신을 보다 멋스럽게 꾸며주기를 원한다. 이는 우리 사회에서도 마찬가지이다. 대부분의 사람들은 자신이 타인의 신발이 되어주는 것을 원하지 않는다. 그러나 타인이 자신의 신발이 되어주는 것은 좋아하고, 당연한 일인 듯이 여긴다. 이런 생각 때문에 타인의 신발이 되어주는 사람들은 피해만 보고 있다고 생각한다. 피해만 보기 때문에 이런 사람들은 우리 사회에서 점점 줄어들고 있다. 하지만 이러한 배타적인 생각을 하는 사람이 많을수록 우리 사회는 퇴보할 것이다. 왜냐하면 이기적인 사람들만 있으면 자신의 이익만 생각하고 남을 위해 봉사, 헌신하는 사람들이 줄어들기 때문이다.

사람은 완벽하지 않기 때문에 다른 사람의 도움을 받으며 살아가야 한다. 그런데 도움을 주는 사람들이 줄어들면 점점 살아가기가 힘들어질 것이다. 그르므로 우리는 서로의 신발이 되어주면서 살고 싶어 한다.

농촌이 가장 좋은 예이다. 농촌 사람들은 두레, 품앗이 등의 활동을 하면서 서로를 도우며 살아간다. 이웃이 우리 집 모내기를 도와주면 나도 이웃집의 모내기를 도와주는 식으로 사는 것이다. 그렇기 때문에 서로 친하게 지내고 정이 흘러넘친다. 서로가 서로의 신발이 되어주는 것이다.

우리 사회도 마찬가지다. 서로가 서로를 도와주고 양보하면 좀 더 즐겁고, 유쾌한 삶을 살 수 있다고 생각한다. 그러나 사람들은 그것을 깨닫지 못한다. 자신의 신발이 되어준 사람에게는 다시 자신도 그런 사람의 신발이 되어 주어야 하는데 받기만 하고 다시 되돌려 주지는 않는다. 그렇게 때문에 점점 남의 신발이 되어주는 것을 사람들이 꺼리게 되는 것이다.

지금 사회의 구성원들은 자신들의 윗세대가 열심히 노력해서 만들어 놓은 이 사회가 퇴보하는 것을 막기 위해서라도 서로가 서로의 신발이 되어주는 문화가 실천되어야 한다.

그래야만이 퇴보가 아닌 진보의 길로 들어설 수 있고, 유쾌한 사회, 즐거운 사회를 만들 수 있다. 또한 자신들의 윗세대가 그러했듯이 자신들도 후손들에게 좀 더 진보된 사회를 물려 줄 수 있을 것이다.

이 방법은 여러 가지 사회 문제도 해결할 수 있는 방법이 될 수 있다. 서로 양보하고 배려하면 불만을 가질 일이 없고, 그러면 결국에는 흉악범이나 이혼 등의 문제도 서서히 해결 될 수 있을 것이다. 왜냐하면 이혼도 부부간의 의견 충돌 때문에 하는 경우가 많기 때문이다. 여러 방면에서 볼 때 서로가 서로의 신발이 되어주는 문화는 현대 사회에 필요한 문화이다. 또한 급하게 형성된 문화도 아니다.

따라서 내일부터 당장 하자고 구호만 외칠 것이 아니라 차근차근 실천하는 실행이 무엇보다 중요하다 할 것이다. 이렇게 실천과 실행이 이어진다면 시간이 지난 후에 우리 사회의 모습은 분명히 또 하나의 발전되고 진보된 모습으로 나타날 것이다.

- 이 작품의 주제 '신발'을 놓고 심사를 함에 있어서 높이 평가한 부분은 농촌에서 계승되고 있는 전통의 노동 형태인 '품앗이'와 '두레'를 신발에 접목한 부분이다. 신발과 연계해서 우리 농촌의 전통적인 미풍양속을 서로에게 도움이 되는 스토리텔링으로 엮은 것을 높게 평가했다. 그 외 논리의 비약이나 구성이 부족한 부분이 있긴 해도 중학교 1학년이 당일 한정된 시간 내에 현장에서 주어진 주제를 이 정도 엮어내기는 쉽지 않다. 평소 글쓰기와 독서를 많이 했다는 방증(傍證)이다. -

꿈을 위한 진통제

00여고 1학년 金銀智

【2014 경상남도 교육청 '경남학생문예 우수'】

진통제는 통증을 완화시켜 주는 약이다. 수술을 할 때, 혹은 부상 치료 후에 후유증이 거셀 때 마다 복용하면 순간의 고통을 잊게 해준다. 때문에 사람들은 한번쯤 진통제를 접하고, 잠깐이나마 고통스러운 현실을 잊곤 한다.

내가 진통제를 생각하면 가장 먼저 떠올릴 수 있는 사람은 나의 엄마였다. 엄마는 사남매 중 셋째로 태어나셨다. 그 무렵 외갓집은 이모가 초등학생이 될 때 까지 집을 얻지 못해 이집 저집 떠돌며 얹혀살아야 했을 정도로 가난했다.

사정이 그러하다 보니 셋째, 그것도 딸이었던 엄마는 교육의 기회에서 조금 동떨어진 사람이었다. 오빠와 언니가 고등학교에 갈 때, 엄마는 집에서 밥을 하며 '나도 열심히 하면 저런 곳에 갈 수 있겠지' 하는 꿈을 꾸셨다. 하지만 시간이 흘러도 가세는 나아질 기미가 보이질 않았다. 겨우 고등학교엔 입학 했지만 가난한 살림에 원하는 교육을 받을 수 있는 기회가 있을 리 만무했다. 결국 3학년이 되어 대학에 입학하기 위해 남들이 좋다고 말하는 대학교에 합격했지만, 꿈과 동떨어진 다른 대학의 치과로 진로를 결정 하셨다. 단지 장학금으로 등록금 부담에서 자유로울 수 있었기 때문이었다.

그렇게 엄마가 치과에서 근무한 것이 20년. 엄마는 일이 다 끝난 저녁이면 항상 가방 속의 아스피린 진통제 약 두 알을 드셨다. 두통 때문에 잠을 이룰 수 없다며 '엄마 진통제 좀 가져다줄래?' 하고 우리 남매를 부르셨다. 그럴 때마다 나는 엄마가 안타깝지만 동시에 이해할 수 없는 눈으로 바라보곤 했다. 두통이란 게 결국 마음에 쌓인 괴로움이 통증으로 이어진 것일 진데, 내 시선 속 엄마는 성공한 직업을 가진 사람으로 보였기 때문이다.

그러다 문득, 엄마는 치과와 전혀 관련이 없는 사람이란 생각이 들었다. 엄마는 환자와 마주 앉아 상담을 하고, 교정기의 둘레를 계산하는 일에 행복을 느끼는 사람이 아니었다. 책을 좋아하고, 음식 만들기를 좋아하던 엄마는 병원에 있을 때 이질적이고 동떨어져 보였다.

얼마 전 EBS에서 꿈에 대한 프로그램을 본적이 있다. 피 실험자들은 각각 의대생, 영어교사, IT회사 직원 등 누구나 부러워할 만한 유망직종을 가진 사람들이었다. 하지만 설문조사 결과 그들은 한결같이 '불행하다'고 답했다. 남들이 선망하는 '좋은 직업'을 가진 그들이 이토록 불만족스러워 하는 이유는 무엇일까? 단지 적성에 맞지 않아 힘들어서였을까?

나는 아니라고 생각한다. 꿈과 현실사이의 괴리라는 게, 어쩌면 '통증'과 같다는 생각이 들었다. 꿈만 바라보면 현실에 순응하느라 꿈을 잊는 것 모두 '통증'을 안고 가야하기 때문이다.

삶의 목적이 행복이라면 또 그 행복을 위해 필요한 것이 꿈과 현실을 만족하는 것이라면, 이 두 상황 모두 어쩌면 목적지를 상실한 말과 같지 않을까?이런 통증을 잠시나마 잊기 위해 진통제를 복용하고, 자기 합리화를 해도 결국은 그 근원은 완치될 수 없을 것이다. 사람은 누구나 한번 쯤 꿈을 꾼다.

그 꿈이 사소한 것이든, 혹은 원대하고 비현실적인 것이든.

나도 어릴 적 수많은 꿈을 꾸었고, 또 노력하면 그 꿈들을 다 이룰 수 있으리라 생각했다. 하지만 초등학교, 중학교, 그리고 이제는 고등학교에 입학하고 나니 전보다 나의 꿈에 대해 진지하고 냉정해져야만 했다. 잦은 진로 교육과 상담이 끝날 때면 나는 항상 꿈을 버려야 하는가? 꿈을 꾼다는 건 비현실적인가? 하는 고민에 사로잡혔다.

꿈을 잊어야하는 괴로움 때문에 진통제를 삼켜야 했던 엄마, 꿈보다는 현실을 좇아 불행하다는 사람들, 반대로 꿈을 좇았지만 가난했던 '빈센트 반 고흐', 또 다른 무명의 예술인들. 나는 내가 꿈과 현실 중 어느 하나를 택해야하는 날이 오면, 어느 쪽이 더 지혜로운 행복한 선택일 수 있을까 하는 고민이 든다. 하지만 앞으로 내가 어떤 선택을 하든지 그 꿈을 이루기 위한 과정과 진통의 끝에 엄마의 진통제는 오래 내 눈시울에 찍혀 있을 것 같다.

- 예로부터 남의 물건을 내 것으로 만들면 도둑이 되지만, 남의 지혜를 내 것으로 만들면 훌륭한 선각자가 된다고 했다. 독서의 중요성, 독서의 필요성을 강조한 말인데, 잘 정착된 청소년의 독서 습관은 일생의 끼니보다 더 귀한 자양분을 선사한다. 진통제를 먹는 엄마의 모습을 애처롭게 바라보는 시선을 넘어, 꿈과 현실속의 소품(진통제)을 담담하게 서술한 논리 전개는 글을 읽는 사람에게 작은 울림을 전달함에 부족함이 없었기에 우수작으로 선정 했다. -

목종승정(木從繩正)

　毛澤東이 문화혁명(文化革命)을 배후 조종(操縱)하면서도 읽었으며, 鄧小平과 우리나라의 전, 현직 대통령도 통독했다는 정관정요(貞觀政要) 구간(求諫)편 제2장에 등장하는 고사성어(故事成語) '목종승정(木從繩正)'의 뜻은「굽은 나무라 할지라도 먹줄을 친 대로 켜면 곧바로 재목을 얻을 수 있다」는 뜻으로,「임금이 신하의 곧은 말을 잘 들으면 올바른 정치를 할 수 있다」는 의미를 은유한 말이다.

　원 출전(出典)은 서경(書經)의 열명(說命)편인 것으로 알고 있지만 공직의 말석에 있는 자로서 평소 나와는 별 해당사항이 없다는 이유로 위에 인용한 고사성어(故事成語)를 특별히 눈여겨보지도 않았거니와 깊게 생각해 보지도 않았다. 하지만 이번에 사이버 독서통신교육의 세 번째 교재인「칭찬기술 꾸중기술」을 읽으면서 이 교재의 내용 중 '윗사람에게 꾸중할 경우 세심하게 배려하라'는 부분에서 간언(諫言)과 직필(直筆)의 중요성을 강조한 목종승정(木從繩正)의 뜻을 진지하게 한 번 생각하게 되었다.

　신하(臣下)가 임금에게 간(諫)하고, 하위직(下位職) 공무원(公務員)이 상급자(上級者)에게 간(諫)하고, 일반 사원의 신분으로 CEO에게 직간

(直揀)하는 일은 그 때나 지금이나 매우 어려운 일이다. 생각을 소신 있게 표현하는 용기와 기백을 가진 사람은 필화(筆禍)를 당하거나 배척(排斥)당하기 일쑤다. 필경 옛날 사람들은 목숨을 담보로 했을 것이고, 지금시대의 사람들은 밥줄을 걸고서야 직간(直揀)을 할 수 있지 않을까 싶다.

그런 이유로 국가나 사회, 특히 직장에 다니는 사람들은 회사에 불리한 사실들을 알면서도 복지부동(伏地不動)과 무사안일(無事安逸)로 넘어가려고 하는 심리가 팽배하다. 이러한 상황이 계속되면 아무리 거대 기업(企業)이라도 큰 발전을 기대하기는 어려울 것이다. 이렇게 되지 않으려면 군주(君主)는 신하(臣下)들의 직언(直言)과 경의(鯁議)를 잘 받아들어야 하고, 기업(企業)의 CEO는 직원(職員)들이 마음 놓고 말할 수 있는 분위기를 만들어 줘야 한다.

그런 의미에서 천 사백년 전의 당(唐) 태종(太宗) 이세민(李世民)이 신하(臣下)들의 간언(諫言)을 적극적으로 요구한 다음의 내용은 오늘날의 우리들에게도 시사하는 바 크다 하겠다.

「내가 비록 불명(不明)하지만, 여러분들이 바로 잡아주는 덕에 좋은 정치(政治)를 할 수 있다. 바라건대 직언(直言)과 경의(기개 있는 강경한 의론)에 의해 천하를 태평(太平)하게 하고자 한다.」고 했고, 이 말을 들은 간의대부(諫議大夫) 왕규(王珪)가 이르기를 「신(臣)이 듣건대 나무는 먹줄을 따르면 곧아지고 군주(君主)는 간언(諫言)에 따르면 거룩해진다」라고 화답 했다한다. 이러한 현군(賢君)과 충신(忠臣)의 직간

(直諫) 사례는 우리 역사에서도 많이 전해진다.

예컨대, 백제(百濟) 시대에 유명한 성충(成忠)과 흥수(興首)는 옥(獄)에 갇히고 귀양 간 곳에서 죽으면서도 마지막 까지 직간(直諫)을 했고, 계백(階伯)장군은 그런 직간(直諫)이 무시되고, 바보 같은 간신배(奸臣輩)의 말대로 움직이며 망해가는 백제(百濟)를 위해 싸우다 목숨을 던졌다.

시대가 바뀌고 상황이 다른 요즘 같은 시대에 밥줄을 걸고, 목숨을 버려서 까지 간언(諫言)을 할 필요까지는 없겠지만 대의(大義)와 명분(名分)을 세우고, 굳은 신념(信念)으로 간언(諫言)과 직간(直諫)을 마다하지 않았던 옛 선현(先賢)들의 목종승정(木從繩正)의 깊은 속뜻을 오늘을 사는 우리들도 한번쯤은 새겨봐야 되지 않을까 싶다.
꾸중을 헌신짝처럼 내버리느냐, 마음의 양식으로 삼느냐는 결국 꾸중 받는 사람의 마음가짐에 달려있다는 것이다.

시인(詩人)의 문학(文學)과 연정(戀情) 황진이(黃眞伊)

1. 삶의 오의(奧義: 매우 심오한 뜻)

　삶이 죽음의 일부이든 죽음이 삶의 일부이든 인간의 성장은 바로 그 어느 쪽에 대한 눈 뜸의 과정이라 했다. 文烈公은 성장과 눈뜸의 서문에서 "어떤 계기로 삶의 오의(奧義)를 포착하는 순간 그 의식은 이미 그 이전의 의식이 아니며, 크건 작건 삶과 죽음에 관한 눈뜸은 의식의 새로운 태어남을 뜻하는 동시에 낡은 의식의 죽음을 뜻한다 했다."

　15세쯤에 동네 총각이 자기를 연모(戀慕)하다가 상사병(相思病)으로 죽음을 맞이하자 기문(妓門)에 투신해 타고난 재색(才色)으로 그 시대 뭇 남성의 로맨스의 주인공이 된 황진이의 삶도 어쩌면 삶과 죽음이 주는 상처 혹은 고통으로서의 눈뜸에서 삶의 오의(奧義)를 포착하여 한 인간으로서의 의식이 눈뜨고 자라나고 성숙(成熟)한 것이 아니었을까?

　그리하여 덜 여물고 섬세하여 상처받기 쉬웠던 어린 시절 영혼에 새겨진 고통(苦痛)의 흔적을 애절한 아름다운 詩로 후세에 남겼으며, 속절없는 우리 삶의 진상에 대한 쓰라린 인식(認識)을 통해 그녀의 의식은 성숙(成熟)으로 한 걸음 더 성큼 다가선 것으로 보여 진다. 뭘 모르는 일반인이 그녀의 생애(生涯)나 詩의 세계를 함부로 건드는 일은 그녀에 대한 결례일 수도 있지만, 그 때나 지금이나 그녀가 가슴 저리게 그려내는 삶의 눈뜸 혹은 사랑의 눈뜸으로서의 여러 가치들은 역사적 시간의 파괴력(破壞力)으로부터도 살아남아 지금의 우리들에게 까지도 절실하고 아름다운 모습으로 남아 있기에, 그녀의 문학세계 탐험은 흔치 않은 교양체험이 될 수 있을 것으로 생각한다.

2. 시인(황진이)의 연정이야기

그녀의 확실한 생존연대는 알 수 없지만 중종에서 명종 때까지 살았던 것으로 보인다. 비교적 단명했던 것으로 보여 지며, 작품으로는 청구영언과 해동가요, 병와가곡집에 시조6수와 한시 6수가 전한다.

그 외에 비설류(稗說類) 문헌인 송도기이(松都記異), 중경지(中京誌), 양구전(陽舊傳), 식소록(識小錄), 근화낙부(槿花樂府), 대동풍아(大東風雅) 등에서 출생에 관한 간접사료와 유사작품이 있다고 하나 전문가들은 온전히 믿을 수는 없다고 한다.

황진이가 태어나고 자란 시기의 양반 사대부(兩班 士大夫)들은 정치적 혼란 속에서 꽤나 지친 사람들이었다. 이른바 4대 사화(戊午, 甲子, 己卯, 乙巳)로 대변되는 치열한 헤게모니(hegemony) 쟁탈전이 지배계층(支配階層)인 훈구파(勳舊派)와 사림파(士林派) 사이에 오랜 시간동안 끝없이 반복되고 있었다.

그러한 시대적 배경 속에서 시화(詩書)와 가무(歌舞)에 능하면서 배어난 용모와 자태, 그리고 총명함과 예술적(藝術的) 재능을 완비한 그녀에게 호사가(好事家)들은 당연히 관심을 가졌을 것이고 그들에게 황진이는 마음의 안식처였을 것이다.

그 시대의 대표적인 석유(碩儒)였던 서경덕(徐敬德, 1489~1546), 대제학을 지낸 소세양(蘇世讓, 1486~1562), 생불이라 불리던 지족선사(知足禪師), 왕가의 귀족 벽계수, 황진이의 첫 남자였던 부운거사 김경원, 당대의 명창 이사종 등이 그 시대 황진이의 연정 파트너였으며, 황진이는 당대의 일류 명사들과 교류하면서 염문(艶聞)을 뿌리기도 하였지만, 때로는 인생의 덧없음과 향락을 그들에게 권유하기도 하였다.

10년의 묵언수행(黙言修行) 지족선사를 그녀의 품으로 무너져 내리게 하여 하루아침에 파계시킨 일, 여색 앞에 강하다던 벽계수를 달밤에 만월대로 유혹하여 그의 자존심을 한 수의 시로 무너뜨린 일, 한양에서 급히 내려온 소세양(蘇世讓)과 짧은 사랑의 아쉬움에 베갯머리 적셨던 일 등에서 볼 수 있듯이 세상의 풍류남아들은 그녀의 유혹 앞에 저항을 포기하고 하나 둘씩 사랑의 포로가 되어갔다.

그러나 화담(花潭) 서경덕(徐敬德)은 달랐던 모양이다.

지족 선사에게 했던 수법대로 비에 젖은 하얀 비단 속옷이 알몸에 밀착되게 하여 화담이 은거하던 초당으로 들어갔지만 조용히 글을 읽고 있던 서경덕은 마른 이부자리를 펴 황진이를 눕히고는 글 읽기를 계속했다. 삼경이 지나서야 서경덕이 황진이 옆에 누웠지만 그녀의 기대와는 다르게 그대로 코를 골며 편안하게 꿈나라로 가버렸다고 한다.

물론 조선시대의 선비 중 색을 기피하는 기색(忌色) 또는 색을 경계하는 계색(戒色)성향을 보인 선비는 헤아릴 수 없을 정도로 많았다.

예컨대, 퇴계 이황, 황주 명기 유지(柳枝)의 유혹을 물리친 율곡 이이, 청주명기 춘절(春節)과 끝내 동상불범(同床不犯)했던 명종 때의 학자 성제원, 관서지방을 안찰(按察) 할 때 계향이라는 자색 있는 기생이 손이라도 한번 잡아달라고 애원하자 한삼(汗衫)으로 손을 싸고난 다음 잡아주었던 김창협, 청주에 머물렀을 때 강매와 열사흘 동안 한 이불 속에서 동침하였으나 끝내 불범하였던 한지(韓祉), 이 밖에도 조광조, 임제, 김인후, 이안눌, 박웅남, 성혼, 이지함, 정술, 송인수 등이 계색(戒色) 성향의 선비들이었다.

아무튼 그 일을 계기로 두 사람은 사제지간(師弟之間)의 인연을 맺는다.

그러나 당대의 도학자인 화담(花潭)도 여자로서의 황진이를 온전히 거부하지는 못했던 것 같다. 가끔은 그리워했던 모양이다.

그녀에 대한 누를 수 없는 그리움과 안타까움, 기다림의 심정을 한 수의 시로서 이렇게 읊었다.

"마음이 어린 후(後) 니 하난 일이 다 어리다.
만중 운산(萬重雲山)에 어내 님 오리마난,
지난 닙 부난 바람에 행여 긘가 하노라.“

『마음이 어리석으니 하는 일마다 모두 어리석다,
겹겹이 구름 낀 산중이니 임이 올 리 없건마는
떨어지는 잎과 부는 바람 소리에도 행여나 임인가 하고 생각한
다.』

황진이는 스승을 향한 자신의 사무치는 연정을 화담 스승도 간직하
고 있음을 확인하는 순간 다음과 같은 시로서 화답했다.

『내 언제 무신(無信)하여 님을 언제 속였관데
월침 삼경에 온 뜻이 전혀 없네
추풍에 지는 닙 소리야 낸들
어이 하리오.』

세상은 변하고 사람들의 감각과 기호가 바뀌었지만 이 얼마나 애처
롭고 아름다운 연정인가? 동서고금의 그 어떤 문학가(文學家)와 시인
(詩人)이 있어 그리움의 감정을 이보다 더 가슴 저리게 그려낼 수 있
을까? 시의 본질 혹은 고전의 시에 대해서 무지하지만 위 시에서 우리
는 한 훌륭한 시인을 만나고 완성된 시를 읽은 감동에 젖는다.

3. 황진이의 대표작품

- 상사몽(相思夢) -

상사상견지빙몽(相思相見只憑夢)
　서로 그리운 마음 만날 길은 다만 꿈길 뿐
농방환시환방농(濃訪歡時歡訪濃)
　임을 찾아가 반겨할 땐 임은 나를 찾아오네
원사요요타야몽(願使遙遙他夜夢)
　원컨대 이후부터는 서로가 어긋나는 꿈길을
일생동작로준중봉(一時同作路中逢)
　같은 때 같이 떠나 길 가운데서 만났으면

　그 시대의 주류세력인 남자들이 남존여비(男尊女卑)의 사상 속에서 한낱 기생인 황진이를 정사에 기록하는데 인색했지만 황진이는 시(詩), 서(書), 화(畵)에 능했던 당대의 예술가(藝術家)임이 분명하다.

　'김시습의 시 열수가 황진이 시 한수에 비기지 못한다'는 한시 평론가들의 평이 결코 과장된 것이 아니다.

　위의 詩는 첫 남자 부운거사가 아무 말도 없이 떠나고 난 후, 꿈속에서라도 같은 꿈을 꾸어 같은 시간에 만났으면 하는 절실한 그리움을 노래한 시다. 흔히들 꿈은 현실에 오지 않는 무지개다고 말한다. 각자의 길을 갈 수밖에 없는 현실적인 숙명과, 꿈속의 무지개 길 위에서라도 조우하고픈 황진이의 연정이 후세의 우리들에게 까지 찐한 슬

폼으로 다가온다.

- 봉별소판서세양(奉別蘇判書世讓) -

월하오동진(月下梧桐盡) 달빛 아래 오동잎 지고
설중야국황(霜中野菊黃) 서리 맞은 들국화는 노랗구나
누고천일척(樓高天一尺) 누각은 높아 하늘에 닿고
인취주천상(人醉酒千觴) 사람은 취하여 한 없이 마신다.
유수화금랭(流水和琴冷) 차가운 물소리 거문고소리
매화입적향(梅花入笛香) 매화향기 피리와 어울리는데
금일상별후(今日相別後) 오늘 서로가 헤어진 후면
정여벽파장(情與碧波長) 그대향한 그리움 물결처럼 끝이 없으리.

황진이가 일생을 통해 남성으로서 사랑했던 이가 소세양이었다고 한다.

위 詩는 소세양과 천수원에서 놀던 그 사랑과 행복을 잊지 못하여 떠나려는 소세양을 하루라도 더 잡아두고 싶은 마음에 지은 詩라고 전해진다.

"오늘 서로가 헤어진 후면 그대 향한 그리움은 강물처럼 한이 없으리."라 노래하는 아름다운 여인을 앞에 두고 떠날 남자 우리들 중에 과연 몇이나 되겠는가?

4. 임제(林悌)의 경우

『청초 우거진 골에 자는다 누엇는다
홍안을 어디두고 백골만 뭇쳣는다
잔잡아 권하리 업스니 글을 슬허 하노라』

명종4년(1549)에 태어나 선조 9년(1576)에 생원시(生員試), 진사시(進士試)에 합격하고 이듬해 알성문과(謁聖文科)에 급제, 병마사(兵馬使)·예조정랑(禮曹正郎) 등을 거쳐 지제교(知製敎)를 지낸 임제(호:백호, 풍강)의 경우는 황진이 사후(死後)의 남자이다.

일설에 의하면 그는 서도병마사(평안감사)로 임명되어 부임(赴任)하는 길에 황진이(黃眞伊)의 묘에 제사를 지내고 시조 1수를 지어 바치다가, 부임하기도 전에 백스핀(파직)을 먹었다는 일화(逸話)가 전해지고 있다. 이로 미루어 그는 그 시대의 꽤 유명한 로멘티스트가 아니었든가 싶다.

5. 기녀(妓女)에 관한 인용문헌
(황진이 시 문학연구, 김원동, 경원대)

『기생은 남성들의 조흥(助興)을 위해 주석에 참여하는 소의 해어화(解語花)로, 조선 시대에 그 수요는 현(縣)에 20명, 군(郡)에 40명, 목(牧)·부(府)에 각각 60-80명, 감영(監營)에 100-200명이 있어서 전국적으로 그 인구가 약 3만 정도에 이르렀다. 기녀들은 대체로 젊고 미모를 지니고 있었으며 내외법이 엄한 유교질서 속에서도 남성들의 접근이 허용되는 존재였으므로 남자들의 잔치의 흥을 돋우고 남자들을 위안하는 구실을 겸하였다.

열다섯 살이 되어 기생 명부에 오르면 교방에서 음률을 익히기 시작하면서 기녀로서의 길을 걷기 시작한다. 일정한 교습기간이 끝나고 나면 행수기생의 엄한 제재를 받았으며, 기생안배는 주로 호장이 맡아 했다.』

유교 윤리가 엄격히 지배하고 있는 남성중심의 조선사회에서 기녀들이란 남자들을 위안하며 그들의 마음을 사로잡기도 하고, 때론 도덕군자들에게 백안시당하기도 하면서 그들만의 문화를 완성해갔다.

6. 그 시대의 신분 특성상 정사에는 등장하지 않고 야사에서 대부분 언급되고 있지만, 뛰어난 예술적 재능으로 그 시대의 명기로 이름 날린 역사적 사실(시인, 작가, 서예가, 음악가, 무용 이외에도 성리학적 지식과 사서삼경에도 해박)은 부인 할 수 없다 하겠다. 교과서에도 실리는 그녀의 문학적 성취도는 후세의 우리들 감성과 지적(知的) 충족(充足)에 모자람이 없다고 생각한다.

문학(文學) 속의 법학(法學)
(이문열 작 '어둠의 그늘을 중심으로')

1. 선택(選擇)

익히 알려진바, 이문열 작가는 꽤나 신산스러운 젊은 시절을 보낸 작가다. 명문가 집안의 후손이었지만 『그의 조상 갈암 이현일은 기해예송(己亥禮訟) 당시 노론의 우암 송시열과 대결한 영남 남인의 영수(領袖)였다』근, 현대사를 지나는 동안 몰락 아닌 몰락(沒落)을 당하게 된다.

아시아적 전제국가(專制國家)의 봉건(封建) 귀족(貴族)은 몰락(沒落)하리라는 예감으로 일본 유학시절 사회주의(社會主義)에 심취한 그의 부친은 6.25때 월북을 하게 되고, 남겨진 가족들은 유적(遺謫)과도 같은 삶을 이어간다.

남겨진 가족들의 아픔은 그의 작품 '영웅시대', '변경', '하구', '암포신문인 협회', '아우와의 만남' 등에서 비교적 자세히 그려지고 있는데, 이문열은 나날이 몰락(沒落)해 가는 일문의 부흥을 위해 여러 가지의 가치선택(價値選擇)중의 하나로 한때 사법시험(司法試驗)을 준비하였던 전력이 있다.

'서늘한 여름', **'어둠의 그늘'**, '심근, 그리하여 막히다', '추락하는 것은 날개가 있다', '약속' '사람의 아들' 등의 작품에서 그의 광범위한 법학지식을 엿볼 수 있는데, 그의 인문학적인 교양(법학)은 주로 이 시기에 형성되었을 것으로 추측되어진다. 자칫 지루하기 쉬운 '문학(文學)과 법학(法學)'의 만남을 능란한 이야기 솜씨로 엮어 가는 그의 탁월(卓越)한 문체 이면에는 법학에 대한 그의 광범위한 지식이 선행되었던 것이다.

2. 어둠의 그늘

미결수(未決囚)들의 감방에서 벌어지는 특수 공간의 체험이 사실감 있게 그려진 '어둠의 그늘'은, 작중화자인 '김광하'라는 인물을 중심으로 현실적 질서의 기본이 되는 실증법(實證法)과, 이상적 질서의 근원이 되는 진실의 문제를 감방 안 죄수(罪囚)들의 죄 유형을 예를 들어가면서 실증법(實證法)과 다소 다른 기준으로 판단한다. 김광하는 법의 집행과 실체적 진실주의(實體的眞實主義)의 괴리감(乖離感)을 주장하면서 남의 원통기를 훔쳐 팔아서 잡혀온 절도전과 2범의 박화영의 경우를 예를 들어 그는 무죄(無罪)라고 주장한다.

> "박화영씨의 경우 그는 원래 평범한 농부였소. 병들기 전만 해도 그에게는 자기의 여섯 식구는 충분히 부양할 수 있는 토지와 재산이 있었소. 그런데 질병은 그의 노동력을 줄이고 토지와 재산을

축내 갔소. 생계의 부족분을 그의 노동 임금으로 메워가야 할 처지가 되었건만 병든 그 노동력을 사람들은 아무도 사 주지 않았지. 그대로 두면 그의 여섯 식구는 고스란히 굶어 죽어야 할 처지에까지 이르렀소."

"그런데 문제는 그런 상태에 떨어지게 된 데 대한 책임이오. 물론 질병을 천재지변과 같은 불가항력적인 것으로 보아 그의 절도를 긴급피난으로 파악할 수 도 있겠지요. 그러나 반드시 그렇지는 않소. 사회가 잘 조직되고 법이 적절하게 운용된다면 그의 불행은 충분히 막을 수 있었소. 그는 마땅히 보호를 받아야 할 사람이었소. 그들 식구의 열흘 분량 양식도 안 되는 생보자 구호곡이나 형식적인 보건소의 알약 몇 개 이상으로, 따라서 그런 그를 보호하지 못한 것은 이 법과 제도의 '부당한 행위'였다고 불수도 있소. 즉 박화영의 절도는 정당방위의 요건을 충족시키는 것이오.(중략) 박화영씨는 분명 '자기 또는 친족의 신체, 생명에 대한 위해를 방어할 방법이 없는' 상태에서 절도로 나아간 것이니까 적어도 그에게 책임을 물을 수는 없을 거요."

위 내용은 형법(刑法)의 범죄행위론(犯罪行爲論) 중, 처벌의 기준이 되는 행위반가치와(行爲反價値)와 결과반가치(結果反價値)의 양면성(兩面性)을 부각하면서 처벌의 기준이 되는 구성요건해당성(構成要件該當性)은 인정되지만 위법성(違法性)과 책임성(責任性)은 조각(阻却)된다는 법이론(法論理)를 펼친 것이다. 소위 사회적 긴급피난(社會的 緊急被

難)에 의한 정당방위(正當防衛)를 위한 절도(竊盜)였다는 것이다.

자기(自己) 또는 타인(他人)의 법익(法益)에 대한 현재의 부당(不當)한 침해(侵害)를 방어(防衛)하기 위한 행위(行爲)는 상당한 이유가 있는 때에는 벌하지 아니한다는 정당방위의 요건을 충족시켰으므로, 친족(親族)의 신체(身體), 생명(生命)에 대한 위해를 방어할 다른 방법이 없는 상태에서 절도(竊盜)로 나아간 상태였기에 침해(侵害)의 현재성이 성립(成立)된다는 것이다.

하지만 긴급피난(緊急避難)은 정당방위(正當防衛)와 같이 긴급행위(緊急行爲)로서 처벌되지 않은 점에서는 공통되지만, 그 법적(法的)성격에 있어서는 정당방위(正當防衛)와 확연히 구별된다.

정당방위는 어디까지나 위법(違法)한 침해(侵害)에 대한 정당한 반격이므로 부정(不正) 대 정(正)의 관계이며, 불법(不法)을 부정하여 법을 실현하는 것을 의미한다. 이와 같이 정당방위가 법질서(法秩序)를 보호한다는 의미를 가지고 있음에 반하여, 긴급피난(緊急避難)은 위법(違反)하지 않은 침해(侵害)에 대하여 일정한 한도에서 피난하는 것을 법(法)이 허용하는 것이므로 그것을 正대正의 관계라고 말한다.

긴급피난(緊急避難)의 성립요건(成立要件)은 자기 또는 타인(他人)의 법익(法益)에 대한 현재의 위난(危難)이 있어야 하며, 위난(危難)을 피하기 위한 행위(行爲)이어야 하고, 상당(相當)한 이유(理由)가 있을 것이라는 요건(要件)이 구비되어야 성립(成立)한다. 여기서 말하는 자기 또는 타인의 법익에 대한 현재의 위난을 피하기 위한 행위는 이로 인하여 보호받는 이익(利益)과 침해(侵害)로 인한 이익을 교량(較量)하여 보호받는 이익의 우월성(優越性)이 인정되는 때에 정당화(正當化) 된다는 뜻이다. 그러므로 박화영의 경우 자기에게 닥친 경제적 궁핍(經濟的 窮乏)을 이유로 위난을 타인에게 전가시켜 절도행위(竊盜行爲)로 나아간 것은 사회윤리적(社會倫理的) 규범(規範)에도 반하는 것이므로 위법(違法)하고 유책(有責)하다고 봐야 할 것이다.

김광하씨의 독특한 법이론(法理論) 해석은 강간범(强姦犯)으로 들어온 두 명의 나이 어린 아이들에게도 이어진다.

"첫째로는 그 보호가치(保護價値)요. 저 애들이 덮친 것은 남녀혼성 캠핑텐트요. 당한 처녀들은 경찰서에 정확한 주소조차 대줄 수 없는 파트너들과 그 전에 벌써 나흘이나 거기 묵었소. 그녀들은 이미 자기의 정조(貞操)를 자기 스스로와 가정의 보호 밖으로 내동댕이친 지 사흘째란 말이오. 그런데도 그걸 법이 그렇게 엄중하게 보호해 줄 필요가 있겠소? (중략)

그 다음은 원인행위(原因行爲)에 관한 것이오, 그 처녀들은 거기서 거의 해수욕복 차림으로 지냈고, 때로는 마을에까지도 그런 차림으로 나왔다는 거요. 그런 일이 흔하지 않은 산골 마을에서는 충분히 성적 충동이나 범죄 심리를 유발시킬 만한 원인행위(原因行

爲)요. 위난(危難)을 스스로 초래한 자에 대해서는 정당방위나 긴급 피난조차 인정하지 않으면서, 그녀들에게 법이 왜 그렇게 동정적인지. 하다못해 민법(民法)상의 과실상계(過失相計)같은 규정이라도 준용(準用)돼야 했다고 생각되오."

범죄(犯罪)란 구성요건(構成要件)에 해당하는 위법(違法)하고, 유책(有責)한 행위(行爲)를 의미한다. 따라서 범죄(犯罪)는 먼저 행위의 존재(存在)를 요건(要件)으로 한다. 그러므로 형법(刑法)적 평가의 대상이 되는 것은 행위(行爲)이고, 형법(刑法)이 적용되기 위해서는 먼저 행위(行爲)로서의 성질을 가져야 한다.

그런 의미에서 캠핑 텐트속 여자들의 보호법익(保護法益)【정조(貞操), 성적자기결정권(性的自己決定權)】을 침해한 가해자(加害者)의 행위는 원하지 않는 성관계를 하지 않을 피해자의 성적 자유를 침해한 행위임이 분명하다고 생각되어진다.

강간범(强姦犯)으로 들어온 두 명의 어린 아이들의 범죄행위(犯罪行爲)는 그들 행위에 대한 제재(制裁)로서의 형벌을 받아야 함은 당연함에도 작중화자인 '김광하'는 이른바 형법상 '허용된 위험론(危險論)'과 관련하여 '위험의 인수(危險의 引受)' 부분을 잘못 해석하고 있다고 봐야 할 것이다.

보호법익(保護法益)의 주체(主體)가 스스로 위험한 행위(行爲)로 나아간 경우를 위험의 인수(危險의 引受)라 하는바 학자(學者)에 따라서는 피해자의 승낙(被害者의 承諾)이나 정당행위(正當行爲)로 보기도 한다.

법적성격(法的性格)과 관련하여 학설(學說)은 독자적부인설(獨自的否認說), 구성요건해당성배제사유설(構成要件該當性排除事由說), 위법성조각사유설(違法性阻却事由說), 책임배제사유설(責任排除事由說)등이 있으나, 현실적 법적용사례는 주로 도로교통분야에 있어서 이른바 신뢰의 원칙(信賴의 原則)으로 구체화되고 있는 분야이다.

허용된 위험론은 비교적 최근에 성립하기 시작한 형법이론(刑法理論)으로 종래 과실범(過失犯)에 있어서 행위자(行爲者)의 객관적 주의의무(客觀的 注意義務)의 범위를 제한하는 원칙으로 논의되어 왔던 분야이다.

그 개념 및 유형이 상당히 불명확하고 학자에 따라서 그 내용이 많이 엇갈리는 분야이다. 그러한 저간의 사정을 인정한다 할지라도 캠핑텐트 속의 여자아이들이 스스로 위험속으로 나아간 행위라 하여 그러한 행위를 위법성조각(違法性阻却事由)로 보는 것은 타당성이 없어 보인다.

私見을 덧붙인다면 전통 사회의 정조(貞操) 관념(觀念)이 아직도 강하게 남아 있는 우리 사회에서 대부분의 성폭력 피해 여성들이 겪는 것은 구체적인 삶의 훼손이다. 만약 그러한 이유로 성폭력 피해의 후유증으로 사람이 죽는다면 그 가해자(加害者)는 미필적 고의(未必的 故

意)에 의한 살인죄(殺人罪)로 처벌되어야 된다고 생각한다.

3. 자연범(自然犯)과 법정범(法定犯)

바깥세상의 시각으로 보면 '감방 안의 사람들은 모두 죄인(罪人)이다.' 라는 미신을 부인하면서 이번에도 김광하씨는 특이한 논리를 전개한다.

"죄인이란 그 행위를 들으면 누구든지 그를 비난할 그런 짓을 한 사람이고, 죄수(罪囚)는 언뜻 그 행위로서는 선악(善惡)을 구분할 수 없지만 그걸 금지한 법규범이 있기 때문에 이곳(감방)에 들어오는 사람이오. 전자를 자연범, 후자를 법정범으로 생각하면 비슷하겠소. 문제는 그 죄수, 즉 법정범(法定犯)이오. 그들에 대해서 사회나 법은 비난 할 수 있을지라도 개별적인 인간으로는 아무도 그를 비난할 수 없소."

"거기다가 죄인이라고 모두가 그대로 비난할 수 있는 근거도 또한 없소. 모든 행위(行爲)는 일견 범죄(犯罪)의 외형을 갖추었더라도 위법성(違法性)이 없거나 책임(責任)이 면제될 여지를 갖추고 있으니까. 중요한 것은 위법성 조각(違法性 阻却)이나 책임성 조각이(責任性 阻却)이 얼마나 완벽하게 적용 되느냐는 것인데 내가 보기에는 별로 충분한 것 같지 않소. 따라서 여기 이십여 명의 사람들 중에서 진정한 의미의 죄인(罪人)은 불과 몇몇일 거요."

우리가 아는바와 같이 형법(刑法)의 이론(理論)은 고전학파(古典學派
-구파)와 근대학파(近代學派-신파)의 논쟁(論爭)을 통하여 발전하여 왔
다.

Kant, Hegel, Beccaria, Feuerbach 등이 고전학파에 속하고,
Lombroso, Ferri, Garofalo, Franz, Liszt 등이 근대학파에 속한 것
으로 알려져 있다.

윗글의 내용은 근대학파에 속하면서 이탈리아의 대표적인 실증주의
학자인 가로팔로가 범죄심리학적 연구의 필요성에서 분류한 자연범과
법정범의 내용을 기본으로 한 이론으로 보여 진다.

가로팔로에 의하면, 범죄를 자연범(自然犯)과 법정범(法定犯)으로 구
별하여 범죄의 본질(本質)은 자연범에 있다고 하고, 자연범에 관하여
는 범죄의 원인이 범죄인(犯罪人)의 성격(性格)과 악성(惡性)에 있으므
로 사회방위(社會防衛)의 방법인 형벌(刑罰)도 범죄인의 악성(犯罪人의
惡性)을 기준으로 정해야 한다고 주장하였다.

특히 그는 1885년에 발표한 '범죄학(犯罪學)'에서 자연범의 개념을
설명하면서 살인(殺人), 강도(强盜), 강간(强姦), 절도(竊盜) 등의 범죄
는 시간(時間)과 문화(文化)를 초월해서 인정되는 범죄행위(犯罪行爲)
그 자체가 존재한다고 주장하고, 이러한 자연범의 범죄행위 재범(再
犯)을 막는 방안으로 일단의 이탈리아 실증주의(實證主義) 학파들과 함
께 특별예방주의(特別豫防主義) 이론을 인용하기도 하였다.

특별예방주의는(特別豫防主義)는 자본주의(資本主義)의 발전과 함께 재범자(再犯者)가 격증(激增)함에 따라 자유의사를 전제로 한 응보형주의(應報刑主義) 한계가 나타나게 되고, 자연과학(自然科學)의 발달이 형법학(刑法學)에 대하여도 영향을 미치게 되어 범죄를 빈곤(貧困)이나 질병(疾病)과 함께 3대惡에 속하는 사회적 병리적 현상(社會的. 病理的 現象)으로 파악하는 한편, 형벌에 대하여도 자연과학적(自然科學的), 실증적 방법(實證的 方法)에 의하여 그 본질(本質)을 규명하고자 한 이론이다.

하지만 인간의 자유의사(自由意思)는 자연과학(自然科學的)으로 입증될 수도 입증할 필요도 없는 불가침의 영역이며, 자유의사를 가진 인간이 동시에 인과율(因果律)에 의하여 지배받는다는 것도 부정할 수없는 현실임을 감안할 때, 자연범(自然犯)과 법정범(法定犯)의 이론적 논쟁(論爭)은 사회가 존립하는 한 계속될 것 같다.

이상 살펴본바와 같이 작중 화자인 김광하는 현실적 질서의 기본이 되는 법 이론과는 다소 엉뚱한 해석을 하고 있지만, 이 소설의 공간적인 배경이 극도의 폐쇄된 공간인 감방 안에서 벌어진 논쟁인 점을 감안하면 어느 정도 이해할 수도 있는 부분이라 생각되며, 더구나 문학(文學) 속에서 만난 법학(法學)인 만큼 이 정도의 상상력(想像力)과 과장(誇張)은 허용(許容)될 수 있는 것이라 생각된다.

간이역(簡易驛) 단상(斷想)

Uni-출가(出家)한 도반(道伴)에게!

6월의 시작과 함께 주룩주룩 내리던 비도 그치고 하늘은 금세 맑아졌습니다.

이렇게 맑아진 하늘을 보면 아직도 손 떨리는 설렘이 느껴진다면 지나친 감상일까요? 근기(根氣)가 허약(虛弱)하고 업식(業識)으로 덮여 있는 한낱 미몽(迷夢)이기에 아직도 나는 애욕(愛慾)의 굴레와 집착(執着)의 허망(虛妄)에서 벗어나지 못 하는가 봅니다.

구도자(求道者)들처럼 한 생각을 접어두며 방하착(放下著)까지는 몰라도 집착(執着)의 허망(虛妄)에서나 벗어날 수 있으면 좋겠습니다. 오래전 고성의 어느 암자에서 또아리를 틀고 있을 때 읽었던 성철(性徹) 스님의 전기에 이런 구절이 있더군요.

"원각(圓覺)이 보조(普照)하니 적멸(寂滅)이 둘이 아니라
보이는 만물(萬物)은 관음(觀音)이요 들리는 소리는 묘음(妙音)이라
보고 듣는 이 밖에 진리(眞理)가 따로 없으니
시회대중(時會大衆)은 알겠느냐?
山은 山이요 물은 물이로다.

(조계종 종정(曹溪宗 宗正) 취임 法語 중에서)"

그 때나 지금이나 집착의 부허(浮虛-들뜨고 허함)에 사로잡혀 있는 속세의 미몽(迷夢)에게는 아직도 아득한 뜬 구름 같은 말씀으로만 느껴집니다.

어쩌면 당연한 귀결인지도 모르지요. 언어와 색채와 소리로써 표현할 수 있는 것에 매료되어 있는 속가의 미몽들이 진정한 사물(事物)의 본질(本質)은 언어, 색채, 소리가 끝난 자리에 있으며, 여래(如來)를 형상으로나 소리로써 구하지 말라는 성철(性徹) 스님의 법어를 이해하고 실천할 수 있다면 그 사람은 지혜의 등대에 가까워진 사람으로 봐야 하니까요.

하지만 우리의 한 살이에 있어서 집착(執着)을 포기(抛棄)하고 집착(執着)에서 벗어나라고만 하면 일체중생(一切衆生)들은 삶의 목적(目的)을 어디에 두고 어떻게 살아가란 말일까요? 출세(出世)에 대한 집착 없이 성공(成功)하기 어려울 것이며, 돈에 대한 집착 없이 부자(富者)가 될 수 없을 것이며, 공부에 대한 집착 없이 우등생(優等生) 반열에 오르기 쉽지 않을 것이고, 배우들이 연기에 대한 집착 없이 어떻게 좋은 연기를 할 수 있겠습니까?

또 한 가지 불교 최고의 목적은 깨침에 있다고 했거늘 깨달음에 대한 집착 없이 어떻게 견성성불(見性成佛) 할 수 있을까요? 지금 이 순간에도 깨달음의 정수를 얻기 위해 치열하게 용맹정진(勇猛精進)하는 구도자(求道者)들도 결국은 깨달음에 대한 집착이 아닌가요?

　신광(神光)이 소림굴(小林窟)의 보리달마(菩提達磨)를 찾아가 단비구법(斷臂求法. 한쪽 팔을 잘라 가르침을 구함)의 구도신심(求道信心)을 신표(信標) 한 것도 결국은 깨달음에 대한 또 다른 집착에서 출발한 것이며, 일자무식의 혜능(慧能)이 호북성의 풍무산(馮茂山)으로 달려가 5조 홍인대사(弘忍大師)의 방앗간에서 잡역을 하며 방아를 찧은 것도 깨달음에 대한 집착의 발로가 아닐는지요. 그나마 그들 선지식(善知識)은 확철대오(廓徹大悟)하여 달마대사의 법을 잇는 선종(禪宗)의 2조(慧可大師)와 6조((慧能禪師)의 선화(禪話)를 이뤘지만 속세의 미몽(迷夢)들 모두에게 깨달음을 구하거나 집착을 버리기 위해 하얀 눈밭에서 한쪽 팔을 잘라 시뻘건 피를 흩뿌리라는 고통을 감내하라고 할 수도 없으며, 방앗간에서 한가하게 방아를 찧으라고 권할 수는 없지 않겠습니까? 더군다나 나름의 정진(精進)을 하면서 평생을 구도자의 길을 걸으며 깨달음을 추구했지만 혹여라도 그 깨달음의 염원을 이루지 못하고 사라져간 출가구도자들이 있다면 그 집착의 허망의 시간들은 어떻게 보상받을 수 있을까요?

　싯다르타는 다른 많은 출가자와 마찬가지로 삶이란 고통이며 그 고통의 원인이 욕망 때문이라고 했습니다. 수행을 통하여 노력하면 욕망이나 집착에 지배받지 않는 새로운 인간으로 태어날 수 있다했으며, 6조(六祖) 혜능선사(慧能禪師)는 머무는바 없이 그 마음을 내어라(應無

所主而生其心). 그러면 다른 모든 피조물에 대한 공감과 자비 속에서 자아를 넘어서게 된다고 했습니다. 즉 해로운 마음인 집착을 눌러 없앰으로써 무아(無我)의 상태에 도달하여 평화를 누리게 될 것이며, 세상 모든 것에 대해 공감하고 자비를 베풀고 실천하며 사는 것이 깨달음에 이르는 핵심이라 했습니다. 하지만 우리네 인생길의 복잡다단한 현실에 모인 시회대중(時會大衆)이 마음의 티끌을 제거하고 집착 없는 청정함을 유지하기 위해 사시사철 화두(話頭)를 참구(參究)하고 법열(法悅) 높은 선지식(善知識)을 찾아다닐 수는 더더욱 어려울 것입니다.

다른 한편에서는 간절히 원하면 이뤄진다는 성공신화 대신, 쿨하게 살면 괴로움도 없고 뒤탈도 없다고 말하지만 그건 삶의 자세가 너무 소극적인 것 아닐까요. 설령 그 쿨한 삶의 방식을 인정하더라도 집착의 사사로움이 없어지고 삶의 심각함이 줄어들면 일반범부 중생(一般凡夫 衆生)들의 구름 속 생멸법이 온전히 걷히면서 마음이 저절로 맑아져 자정(自淨)이 되는 것일까요.

더 큰 열정으로 가슴 뛰는 삶을 살아가는 대다수의 재가수행자들에 비해 그냥 주어진 삶에 따라 여행 온 것처럼 집착 없이 놀다가는 곳이라고 한다면 그건 삶의 방기(放棄)일 수도 있다고 여겨집니다. 가장 속되고 비정한 자연과학적 논리로도 인간의 사랑 행위와 동물의 욕정은 구분 되듯이 초월을 지향하는 인간의 집착적 상시성과 그 극복의 방식은 엄연히 현실 속에 각자의 방식으로 존재하는 것이며 아프면서도 아름다운 양면성이 있다고 봅니다. 마치 같은 샘물이라도 독사가 마시면 독물이 되고 벌이 마시면 꿀이 되는 그러한 이치 말입니다.

또한 중국 선종(禪宗)의 초조인 달마대사 이래 옛 조사(祖師)들은 한 결같이 불립문자(不立文字)와 교외별전(敎外別傳), 직지인심(直指人心)을 통한 견성성불(見性成佛)을 설파했습니다. 언어와 문자에 얽매이지 말고 수행을 통해 자성을 바로 보면 깨달을 수 있다고 했으며, 그러한 선풍은 화두를 통한 공안(公案) 참구(參究)라는 또 다른 선풍(禪風)의 한 형태로 불가에 자리 잡았으며 오늘에까지 이르고 있습니다. 달마→혜가→승찬→도신→홍인→혜능에 이르기까지 조사들은 참선을 통한 수행법으로 중국은 물론 우리나라를 비롯한 동남아의 불교 전파를 선도했으며, 어렵고 복잡한 불교 교리의 단순화를 통한 일반 대중들의 접근성 향상과 불교 대중화에 크게 기여 했습니다. 보살혁명에 버금가는 불교 대중화를 이끈 혁명적인 것이라 할 수 있을 것입니다.

하지만 어려운 교리와 문자를 때어난 곳에 성불을 이루기 위한 새로운 수행방책으로 참선을 통한 돈오돈수(頓悟頓修)와 돈오점수(頓悟漸修)를 내세웠지만 6조 혜능선사를 제외하고 절대다수의 조사(祖師)들은 문자에 대한 집착을 버리지 않았습니다. 혜능선사와 쌍벽이었던 신수대사와 그 뒤를 잇는 남악, 마조, 석두, 황벽, 임제, 조주, 설봉, 설두 등 이름만 들어도 쟁쟁한 그들 모두 책과 문자에 집착한 학승(學僧)이기도 했습니다. 그들 선승(禪僧)들은 한결같이 출가 당시나 후대에 출가시(出家詩), 오도시(悟道詩), 열반시(涅槃詩)를 남겼습니다. 가까이는 근,현대 한국 선불교의 큰 업적을 남기신 경허스님, 효봉스님, 청담스님도 한결같이 교학에 밝으신 분들이었으며, 일반범부들에게 가장 잘 알려진 성철 스님도 일생동안 간화선(看話禪)을 통한 선풍(禪風)수행을 고양(高揚)시켰지만 정작 본인께서는 일평생 수만 권의 책을 읽은 높은 학구열과 함께 철저한 수행의 삶을 살았습니다. 성철 스님은 참선을 중요시하는 수행으로 견성성불(見性成佛)을 하셨지만 고전물리학에서부터 양자역학에 이르기까지 큰 스님의 책과 독서에 대한 집착은 교학의 지혜로써 번뇌를 끊고 진리를 깨닫기 위한 집착의 한 단면이라 생각됩니다.

싯다르타가 깨달음의 진리를 말씀하실 때 가장 먼저 하신 말씀이 "나는 중도(中道)를 정등각(正等覺)했노라.(無上正等正覺)" 라고 했습니다. 일체개고(一切皆苦)에서 출발하여 열반적정(涅槃寂靜)의 경지에 이르기 위해서는 수행에 힘쓰고 계율을 지켜 선정(禪定)을 닦아야 한다는 뜻이기도 하지만, 이는 문자에 매이지 않고 곧바로 사람의 마음을 가리켜서 본성을 보아 부처가 된다는 가르침이기도 했습니다.

6조 혜능 선사 이후 수많은 조사들의 가르침과 선문답(禪門答)이 있었지만 집착에 관한 유명한 일화는 조주선사(趙州禪師, 778~897)의 남전참묘(南泉斬猫)일화일 것입니다. 조주선사의 스승인 남전스님이 고양이 한 마리를 두고 헛된 집착으로 싸우고 있는 동당(東堂)과 서당(西堂)의 수행자들을 깨우치기 위해 고양이를 한 마리를 단박에 죽여버리는 특단의 조치를 취한 일입니다. 저녁이 되자 외출에서 돌아온 제자 조주에게 스승 남전은 낮에 있었던 일을 이야기 했고, 그 이야기를 들은 조주는 아무 말 없이 일어나 짚신 한 짝을 머리에 얹고 나가

버렸습니다. 출가자의 본분을 망각하고 고양이 한 마리에 집착해 네 것이냐 내 것이냐는 싸움박질이나 하며 집착을 놓지 못한 수행승들에게 스승 남전은 고양이를 죽이는 방편으로 호통을 친 것이고, 수좌(首座) 조주는 짚신을 머리에 이고 나가 버림으로써 집착 없는 자유로움을 보여준 것으로 생각됩니다.

깨달음은 어떤 사람들, 특히 출가승에게는 일생일대의 생사를 걸고 정진해야 하는 중대사일 것입니다. 일체의 집착과 굴레에서 벗어나 대자유를 노래하는, 그리하여 시방세계에 털끝만큼도 막히거나 걸림이 없는 수승한 반야의 지혜를 소원 할 것입니다. 그런 의미에서 상구보리(上求菩提) 하화중생(下化衆生)의 큰 원력(願力)을 세우고 단기출가(Uni-출가)의 결단을 내린 도반(道伴)의 앞길을 응원하며 법고(法鼓)의 북소리 사바세계에 크게 울려 퍼지기를 기원합니다. 지덕이 충만한 큰 학인이 되어 돌아오기를 기대하면서......,

- 간이역에서 도반 드림. -

자기소개서

(홍보실 지원서 2005년)

홍보실 : 먼저 철도공사에 재직 중 귀하의 애사심을 증거 할 수 있는 사례 한 가지를 들어 보시오.

김진원 : 2003년 1월 20일 10년 만의 폭설이 서부경남 지역에 내렸을 때 열차 정시 운행을 지키고, 고객의 안전을 위하여 횡천역 구내 선로에서 밤을 지세운적이 있습니다. 천리 길을 가야 하는 진주 출발(횡천 경유) 서울행 무궁화호 열차와 후속 열차를 단 1분이라도 지체할 수 없었기에 입었던 외투는 한쪽 레일 위에 덮고 나머지 한쪽은 제 가슴으로 펑펑 쏟아지는 폭설을 다 녹였던 적이 있습니다. 선로전환기 장애 지연을 막기 위해 레일에 가슴을 부비며 눈을 녹였던 그때의 순간을 지금도 잊을 수가 없습니다.

홍보실 : 귀하의 홍보실 입사 지원동기를 간략하게 서술하시오.

김진원 : 어느 기관, 어떤 단체를 불문하고 홍보실의 비중은 크다 하겠습니다.

예컨대, KTX개통 초기에 우리는 정시율 98%를 기록했습니다. 고속철도를 20년 넘게 운영하고 있는 프랑스의 경우에도 개통 초기에 정시 운행율은 75%에 불과했습니다. 독일의 고속열차 ICE도 개통 초기에는 정시율이 81.1%에 그쳤으며, 일본의 신간센 역시 개통 후 3년간은 90% 수준에 머물렀던 것으로 알고 있습니다.

이에 비하면 우리 고속열차는 개통 초기(98%)를 제외하고는 매일 98%~100%의 정시 운행율을 기록하고 있음에도 언론 등 국민 홍보 부족으로 극히 일부분의 운행지연이 지나치게 부각 되는 부분이 있었습니다.

앞으로 제가 홍보실 입사를 명받는다면 이러한 우리의 높은 정시율과 안정성을 구체적 자료를 바탕으로 적극적인 대국민 홍보를 하겠습니다.

홍보실 : 홍보실은 고도의 전문성과 풍부한 경험을 가진 자를 필요로 하는 부서입니다. 귀하는 이러한 식견과 경험을 가지고 있습니까?

김진원 : 솔직히 말씀드리자면 둘 다 없습니다.
　　　　하지만 저는 언제나 도전적이고 진취적인 생각으로 현업에서

근무했습니다. 예컨대, 지금 제가 근무하고 있는 횡천역에서 '수익증대'와 '철도 이미지 제고'를 위해 2005년에 '여유만만 기차골프투어'를 기획하고 실행하는데 적극적으로 참여한 적이 있습니다.

시골 간이역의 수입증대 한계를 넘어서기 위해 역사 맞은 편에 있는 하동골프리조트를 철도와 연계한 기차골프투어 상품을 철도 최초로 횡천역에서 입안하여 작년에 우리역이 전국경영평가 1위를 달성하는데 기여를 하였습니다.

이것이야말로 저의 진취적이고 창의적인 성격을 볼 수 있는 단적인 예가 될 수 있다고 생각합니다.

홍보실 : 귀하가 가지고 있는 장점 한 두 가지를 말씀해 주시고, 그것이 홍보실 업무와 어떤 연관성이 있는지를 설명하시오.

김진원 : 학창시절에 웅변을 했었고 외부주관 대회 참여경력도 있습니다. 이러한 경험은 앞으로 대언론, 대국민 홍보에 적극적인 마인드로 작용할 수 있을 것이라 생각합니다.

특히 골프는 싱글수준에 근접해 있으며, 이러한 경험역시 다양성과 철도여행문화를 홍보하는 유용한 도구가 될 수 있을 것이라 생각합니다. 왜냐하면 눈 높은 고객을 철도여행에 붙잡아 두고 홍보하기 위해서는 그들의 문화를 경험하고 공유하는 것이 무엇보다 중요하기 때문입니다.

홍보실 : 끝으로, 귀하가 제출한 '기억의 풍경, 글들의 날개'는 서정적
이고 감성적인 내용이었습니다. 이 책을 펴낸 특별한 이유가
있습니까?

김진원 : 해보지도 않고 안 된다, 못하겠다는 소극적인 사람과, 무엇
이든 맡기만 주면 열심히 최선을 다 해보겠다는 사람의 인식
의 차이라 생각 합니다.

비록 작품성은 없을 지라도 과감하게 한번 도전해 보겠다
는 제 평소의 생각이 이러한 개인 문집을 발간하게 된 것입
니다.

교정과 편집을 혼자 힘으로 하다 보니 엉성하기 짝이 없지
만 저에게는 유용한 경험이었습니다. 감사합니다.

제2부

역무원의 독서 노트
(비문학 감상문)

금융(金融) 오디세이

"아빠, 돈이 뭐예요?"

갑작스러운 질문을 받은 아버지 돔비는 잠시 뜸을 들였다.

"돈이 뭐냐고?, 폴? 지금 돈이 궁금하다는 거니?"

"네."아들은 의자 팔걸이에 손을 올려놓고 천진한 표정으로 아버
지 얼굴을 올려다보며 다시 물었다. "돈이 뭔가요?"

-찰스 디킨스, 『돔비 부자(父子)』중, -P30-

위 대화 내용은 영국 작가(作家) 찰스 디킨스의 소설(小說)'돔비 부
자'에 나오는 부자(父子)간의 대화 내용이다. 문학가(文學家) 찰스 디킨
스는 돔비의 어린 아들 폴의 입을 통해 경제학자(經濟學者)들이 제대
로 대답하지 못하고 있는 문제(問題)를 예리하게 묻는 것이다.

이 순간 누군가 나에게 "돈이 도대체 무엇이냐?"고 묻는다면 나도
머뭇머뭇 할 수밖에 없을 것 같다. 조순(趙淳) 교수(教授)의 경제학원
론(經濟學 原論)에서 언뜻 읽은 화폐 금융론(貨幣·金融論)의 이론(理論)
을 기억해보면 돈은 재산(財産)의 기본단위(基本單位)이며, 교환(交換)

의 매개물(媒介物)이며, 가치저장(價値貯藏)의 수단(手段)이다. 물론 동, 서양의 화폐기능(貨幣機能)과 역사적(歷史的)인 의미(意味)는 차이가 있다.

예컨대, 역사적(歷史的)으로 서양(西洋)에서 돈은 '경제적 가치(經濟的 價値)를 표현(表現)하는 물건(物件)'으로 본다면 동양(東洋)에서는 '다른 물건의 가격(價格)을 표현(表現)하기 위해 사회구성원(社會構成員) 또는 최고권력자(最高權力者)들이 정한 약속(約束)'이라고 본다.

화폐(貨幣)와 인간(人間)에 얽힌 사건(事件)을 들여다보며 돈과 은행(銀行)에 관한 이야기를 동,서양의 역사적 사건사고(歷史的 事件事故)와 함께 밑바닥을 밀도 있게 분석(分析)하면서, 금융(金融)이 다루는 돈의 정체와 가치의 정점에 은행(銀行)과 중앙은행(中央銀行)이 존재하게 되기까지 역사적(歷史的)흐름을 재미있게 구성한 "금융 오디세이!" 내가 이 책을 접한 것은 코로나 19가 막바지에 다다른 23년 1월 25일이었다.

금융 오디세이는 제1부 돈(Money), 제2부 은행(Bank), 제3부 사람(Human)으로 구성되었다. 1부에서는 베니스의 상인, 대금업(貸金業)과 반유대주의, 돈의 기원, 해상무역(海商貿易)과 근세(近世)의 대금업(貸金業), 돈의 가치, 中世가 남긴 돈의 유산(遺産), 돈과 권력(權力)이 만났을 때 등 돈과 관련된 다채로운 역사적(歷史的) 고찰(考察)과 의미(意味)를 담았다.

일반적으로 서양(西洋)에서 돈의 기원은 기원전 7C경 지금의 터키 서쪽 소아시아 지역에서 사용된 일렉트럼(electrum)을, 동양(東洋)의 돈의 기원은 기원전 8C경 중국에서 사용된 명도전(明刀錢)을 최초의 화폐로 보고 있으며, 우리나라는 고려시대(高麗時代) 건원중보(乾元重寶)를 최초의 돈으로 보고 있다.

이 책에서 작가는 역사적으로 동,서양의 돈의 개념은 조금 달랐다고 한다. 동양이 화폐국정설(貨幣國定說)이라면 서양은 금속주의(金屬主義)로 정의한다. 서양은 돈 그 자체가 가치를 가져야 한다는 의미로 금 또는 은으로 만들어 졌으며 거래 편의를 위해 개인들이 만들어낸 발명품이며 돈의 가치와 자격은 시장에서 결정된다고 본 반면, 동양(중국, 한국 등)에서는 천원지방(天圓地方)이라는 우주관이 지배했다. 따라서 왕이 거기에 어떤 가치를 부여하더라도 그것은 거역할 수 없는 왕명이며, 그 가치를 거역하면 삼족(三族)을 멸하거나 반역죄(反逆罪)로 처벌되었다. 따라서 우리나라를 포함한 동양에서 돈을 만드는 힘은 저 높은 곳의 한 사람이 가지는 것이니, 왕이 돈을 무엇으로 정하든 한번 정하면 백성들은 써야 한다는 명령(命令)이었다.

1부에서 내가 무엇보다도 새롭게 접한 부분은 돈의 이름이었다. 우리가 사용하는 돈에는 각국마다 이름이 있는데, 美國은 달러, 中國은 위안, 英國은 파운드, 日本은 엔, 등 각각 돈의 이름이 있다. 이에 비해 우리나라 돈의 이름은 '원'이다. 조선말(朝鮮末) 고종(高宗)이 독일인(獨逸人) '묄렌도르프'를 초청(招請)해 현대식 주화(現代式鑄貨)를 만들 때는 '환(圜)'이라는 이름을 쓰려고 했다.

이후 대한제국(大韓帝國) 시절이었던 1900년 日本 돈의 유통(流通)을 막고자 제정된 화폐 조례(貨幣 條例)에서도 우리나라 돈의 공식 명칭은 '환'이었다. 그러나 이 무렵 일본은 장차 자신들이 달성할 목표인 한일합병조약(韓日合倂 條約)을 염두에 두고 한자圓(원)과 영어 Yen이 함께 기재된 국적 불명의 불법 화폐(不法貨幣)를 고의(故意)로 유통(流通)했다. 우리의 의지와 관계없이 일본 제일은행이 뿌린 이 돈 때문에 'Yen=圓=우리 돈'이라는 착각이 뿌리내렸다.

이후 1918년 4월 1일 다이쇼 일본 왕은 칙령 제60호를 통해 조선에도 일본의 화폐법(貨幣法)을 적용(適用)한다고 선언(宣言)했다. 일본의 법률(法律)을 통해 'Yen = 圓 = 우리 돈'이 된 것이다. 광복(光復) 이후 남한(南韓)에 주둔한 미군(美軍)은 군정법령(軍政法令) 제21호를 통해 일본(日本) 법률(法律)의 효력(效力)을 당분간 그대로 인정한다고 선언(宣言)했다. 그 바람에 1950년 6월 한국은행(韓國銀行)이 설립(設立)된 이후에도 한국은행(韓國銀行)이 조선은행권(朝鮮銀行券)을 발행(發行)하는 이상한 일이 벌어졌다.

그 이후 6.25전쟁이 터지면서 피난 가기 바빴던 한국은행(韓國銀行) 직원들은 지하금고(地下金庫)에 있는 105억원을 미처 수송하지 못했다. 북한이 이것을 접수하여 전투가 치열했던 낙동강 근처에 살포하자 남한의 화폐 질서(貨幣 秩序)는 엄청난 혼란에 빠졌다. 결국 이승만 대통령은 1950년 8월 28일 '조선은행권의 유통 및 교환에 관한 건'이라는 대통령 긴급명령 제10호를 통해 조선은행권(朝鮮銀行券)을 급거 회수(回收)하고 한국은행권(韓國銀行券)을 발행(發行)토록 했다. 물론 그 긴급명령권(緊急命令權)에도 돈의 이름에 관한 언급은 없었다. 그래서 한국은행 직원들은 일본에 인쇄(印刷)를 주문할 때 아무도 고민도 하지 않고 과거 조선은행권(朝鮮銀行券)과 똑같이 '圓'원이라는 글자를 새겼다.

전쟁 중에 극심한 인플레이션으로 이승만 대통령은 100대1의 화폐개혁(貨幣改革)을 통해 '圜'환 이라는 새 이름을 붙였다. 과거 대한제국(大韓帝國)이 시도했다가 실현(實現)하지 못한 이름이었다. 하지만 이 이름도 5.16 쿠데타가 발생한 뒤 국가재건최고회의(國家再建最高會議)는 긴급통화조치법(緊急通貨措置法)을 통해 10대 1의 화폐개혁(貨幣改革)을 추진(推進)했는데, 이때 '환'이 다시 '원'으로 바뀌었다.

헌정질서(憲政秩序)가 정지한 가운데 몇몇 군인들이 밀실에서 만든 이 法의 적법성(適法性)에 관해서는 어느 누구도 고민하지 않았다. 훗날 60년 동안 방치되다가 2012년 3월에 한국은행법(韓國銀行法 제47조의 2)에 '대한민국의 화폐단위는 원으로 한다.' 는 조항이 추가된 것이다. 이와 같이 돈의 이름에 새겨진 화폐단위(貨幣單位)의 역사적 의미(歷史的 意味)를 볼 때 여전히 해결되지 않은 숙제는 있다. 우리나라

사람들은 화폐의 도안(圖案)이나 등장인물에 대해서는 관심과 의견이 많지만, 일본이 강제한 돈의 이름에 대해서는 무관심하거나 무지한 것이라 볼 수밖에 없다. 그런 의미에서 이 책의 저자 차현진 작가(한국은행 출신)가 제안한 돌고 돈다는 뜻인 순 우리말인 '돈'으로 이름 짓는 것도 좋을 듯 여겨진다.

제2부 은행(Bank)에서 유독 눈길이 가는 것은 9장 첫 페이지에 나오는 희대의 사기꾼 존 로(John Law)의 묘비문이었다.

> 파산한 바보들아, 이리로 모이거라.
> 너희들의 실수에 누구를 탓할쏘냐?
> 남의 말에 솔깃했던 자기 귀나 자르거라.
> 무턱대고 오른배에 사기꾼이 선장이니 실린 것은 쪽박이요 탔던 배는 깡통이라.
> 그럴듯한 말일수록 의심부터 했어야지.
> 한탕 해서 쉽게 벌면 돈 없을 자 누굴쏘냐?
> 벌기보다 잃기가 쉽다는 걸 몰랐느냐?
> 처음부터 정신 차려 깨달아야 했느니라.
> 망한 사연 말하려면 개한테나 털어놔라.
> 무릉도원 가려다가 삼수갑산 갔었다고.

— 존 로(1671~1729)의 묘비문

위 내용은 스위스에 묻혀 있다는 은행가 John Law를 조롱하는 내용의 묘비문이다. 한 은행가의 잘못된 투기와 광기의 욕망이 프랑스 왕실 은행과 결탁하여 온 나라를 파탄(破綻)으로 몰아내고 국가부도(國家不渡) 사태를 낸 장본인이다. 역사적 관점에서의 투기(投機) 광풍의 서막은 네덜란드의 튤립 파동으로 시작되었으며, John Law가 주도한 미시시피 버블의 프랑스 사건으로 한 나라를 파산상태(破産狀態)로 몰아넣고, 곧 이어 영국의 남해회사 거품사건으로 차례차례 진행된다.

영국에서 영란은행을 세울 때도 그랬지만 프랑스에서도 1715년 John Law의 은행 설립 안(案)이 궁정에서 논의될 때 네 명은 찬성(贊成)하고, 여덟 명은 반대(反對)했으며, 나머지 대부분은 잘 모르겠다고 대답(對答)했다. 그래서 결국 부결(否決)되었다. 그 만큼 은행의 개념 정립(槪念定立)이 미비한 시기였다. 그러나 당시 프랑스 왕실의 재정 상태는 파산상태에 이르고 급한 불을 꺼야 한다는 절박함 등 우여곡절 끝에 1716년 5월 John Law의 은행 설립은 프랑스에서 허가되었다. 프랑스 최초 단독 은행설립을 주도한 존 로는 여기서 거치지 않고 자회사를 만들어서 프랑스의 식민지 영토까지 투자(投資)를 유도한다.

캐나다에서 미시시피까지 영토를 담보로 돈을 발행하면 담보 가치의 확실성을 바탕으로 투자 자본을 유치하면 식민지 개발을 통한 막대한 자원과 부를 창출할 것이며, 그 돈은 끝없이 선순환이 되어서 프랑스가 부자 나라가 될 것이다는 논리를 편다. 다섯 살에 불과한 루이 15세를 대신해 섭정하던 그의 삼촌인 오를레앙 공작과 함께 오늘날에도 보통사람들은 이해하기 어려운 전환사채(국채를 독점기업 주식으로 전환)기법으로 발행한 은행권은 불티나게 팔렸고 투기와 버블의 광풍은 온 프랑스를 집어삼켰다.

그러나 달도 차면 기우는 법이고 파하지 않는 잔치는 없는 것이다. 오래지 않아 미시시피 버블은 붕괴되고 왕실 은행은 파산하였으며, 프랑스는 다시 금속화폐 시대로 돌아갔다. 존 로는 국민의 원흉이 되어 추방되었다. 얼마 지나지 않아 일인 천하를 구축한 나폴레옹은 아칸소와 미시시피 일대의 그 광활한 땅을 미국에 팔아넘겼다. 존 로에 대한 증오감이 얼마나 컸던지, 그가 썼던 '은행'이라는 말도 프랑스에서는 용납되지 않았다. 오늘날 프랑스에서는 뱅크라는 말보다 금고, 신용, 협회, 계산소와 같은 말을 쓰는 것은 '존 로'로 인한 후유증 때문이다.

제3부 사람(Human)에서는 애덤스, 케인즈, 앨런 그린스펀, 폴 볼커, 히틀러, 최순주, 구용서, 할마르 샤흐트와 같이 비교적 친숙한 사람들의 이름이 나온다. 그런데 **할마르 샤흐트**라는 사람은 이 책을 읽으면서 처음 알게 됐다.

1877년생의 독일의 천재 경제학자로 불리는 샤흐트는 트레스드너 은행의 은행원 출신이다. 그는 통화청장으로 공직생활을 시작했으며 통화감독관을 거쳐 중앙은행 총재와 경제장관을 겸임한 히틀러 시대의 경제 대통령이었다.

변방에서 가난한 어린 시절을 보내 샤흐트는 남다른 출세욕과 명예욕으로 가득찬 인물이었으며, 제1차 대전 이후 패전국 독일의 극심한 하이퍼인플레이션을 화폐 개혁을 통해 극복한 인물이었다. 특이한 점은 대중이 신뢰하는 화폐를 만들기 위해 부동산 담보를 설정하고 독일 국토의 토지, 자산 가치에 해당하는 만큼만 통화를 발행하였다. 정부가 보증하는 약 32억 마르크만 발행하여 신뢰를 회복하였다.

당시의 독일은 1차 세계대전 패전국에 따른 베르사유 조약(1919년) 체결로 나라 전체가 발칵 뒤집어 졌다. (알자스-로렌 지방 프랑스로 반환, 자르 광산 양도, 북부 일부 폴란드와 덴마크에 양보, 군 병력 십만 이하, 해군 해체, 라인강 양쪽은 영구 비무장지대, 승전국에 2년 안에 50억 달러 배상 등) 이러한 이유로 중앙은행 총재였던 하팬슈타인은 뒤로 벌렁 자빠지고, 물가는 2년 동안 무려 1조%나 올랐다. 이때 등장한 인물이 할마르 샤흐트였다. 그는 중앙은행 총재를 자청하였으며, 발권한도를 설정(제한)하는 초긴축 정책으로 물가 상승을 0%로 잡았다.

이러한 샤흐트의 통화 금융 정책을 지켜본 히틀러는 1933년 정권을 잡은 후 샤흐트에게 네오플란(신계획)이라는 비상대권을 부여하여 정부가 상거래, 자본시장 등을 직접 통제 할 수 있는 권한을 부여했다. 실업난 해소와 경제 활성화를 위해 주택개량, 아우토반 건설, 황무지

개간 등 동원할 수 있는 곳에 자본을 집중 투여했으며, 관세를 높이고 사치품 수입을 차단하였다.

샤흐트는 금속연구소라(Mefo)는 페이퍼 컴퍼니를 만들고, 그곳을 통해서 중앙은행의 돈을 풀고, 그 돈으로 히틀러가 군수산업을 일으키고 또 겉으로는 아우토반같이 평화적인 일을 하는데 돈을 지원한다. 히틀러가 유태인을 추방하려고 할 때 '바보야 유태인을 추방만 하면 어떡하냐? 유태인들 재산이 많은데 그 돈을 이용해서 또 한 번 더 써먹어야지'라고 하면서 오늘날 ABS(자산유동화증권)라는 개념을 만든다. 즉 부동산을 담보로 하는 ABS에 투자를 유인한다.

이렇게 제1차 세계대전 패전의 독일 경제를 부흥시키던 그는 1939년 11월 독일이 폴란드를 침공할 때 괴링에게 모든 걸 넘기고 일체의 공직에서 물러난다. 그 이후로는 우리가 다 아는바와 같이 2차 대전 후 전범 재판을 받을 때 괴링과 괴벨스 이런 사람들이 다 사형을 선고 받았는데 샤흐트는 무죄로 풀려난다. 여기서 샤흐트는 무슨 생각으로 나치와 손을 잡았고 무슨 생각으로 나치당과 결별을 했을까? 지금도 영원한 수수께끼이다. 분명한 것은 샤흐트 마음속에는 독일의 부국강병, 이 생각이 있었던 것 같고, 그것을 위해서 자기의 모든 역량을 펼쳤으며, 그래서 오늘날 그 사람의 뜻을 받아서 만들어진 게 BIS(국제결제은행)가 있고, IMF가 만든 SDR(특별인출권. 오늘날 스테이블 코인의 원조)도 있고, 페이퍼 컴퍼니를 통한 SPV(특별목적회사)도 그가 최초로 만들었으며 위에서 언급한 ABS 개념도 샤흐트가 처음 만들었다. 단연코 그는 금융의 천재 중의 천재였다. 지금까지 우리가 생각한 은행원의 이미지는 시키는 일만 잘하고 주어진 규정을 잘 지키는 사람이라고 그래야지 좋은 금융인이라고 생각하는데 샤흐트는 그것을 초월한 사람이었다. 한 마디로 그는 금융인의 편견을 깨버린 창조적 파괴를 하는 사람이었다고 볼 수 있다.

맹자(孟子)의 어록(語錄) 중에 '무항산(無恒産)이면 무항심(無恒心)이다'라는 말이 있다. 생활이 안정되지 않으면 바른 마음을 지키기 어렵다는 뜻인데, 나는 이 뜻을 내 나름의 해석으로 '빵과 우유가 해결되지 않으면 내 자신의 가치실현과 자아실현은 요원하다.'로 해석하곤 했다. 자본주의 세상에서 돈과 경제력은 모든 가치판단 중 최우선 순위 중 하나일진대 난 그들과 너무 동떨어진 삶을 살아온 것이 아닐까? 그리하여 지금이라도 그들에게 좀 더 가까이 다가가고 싶은 욕심으로 이 책을 선택 했었다.

내가 살짝 기대했던 돈을 많이 버는 방법과 돈과의 친밀한 유대관계를 쌓는 묘책은 잘 보이지 않았지만 돈과 은행에 관한 금융의 기초적인 상식과 금융교양(金融敎養)을 넓히고, 돈의 개념에 대해서 조금이나마 알 수 있는 귀한 내용이었으며, 금융 오디세이라는 이 책의 제목처럼 돈과 금융에 관한 소소한 재미가 가득한 의미 있는 여정(旅程)이었다.

나는 예수입니다

저자 김용옥

성서학자들의 견해에 의하면 주요성서가 쓰진 순서는 바울서한(AD 50~60년), **마가복음(AD 71년)**, 마태복음(AD 80년), 누가복음(AD 90년), 요한계시록 (AD 95년), 요한복음(AD 100년)으로 보고 있다. 마가복음 기록 1년 전인 AD 70년에 로마군 '베스파시안'장군의 아들 '티투스(Titus)'에 의해 예루살렘성은 '통곡의 벽' 일부만 남기고 철저히 파괴되었으며, 이 전쟁으로 유대민족의 민중 110만명이 도륙되었고, 9만 7천 명의 장정이 노예가 되었다.(AD 70년 4월부터 시작된 로마군의 공격으로 9월 초 예루살렘성전 함락됨)

예루살렘의 함락은 사실상 유대민족의 치욕이며, 유대국가체제의 멸망이며, 유대인 종교의 굴욕이며, 유대인 문화의 영락을 의미한다 하겠다. 이로써 유대민족은 1948년 이스라엘 건국 때 까지 2천여동안 떠돌이 생활을 해야만 했다. 역사적으로 예루살렘 성전 파괴는 예수 사후 40여 년 후에 발생했으며, 4복음서 중 가장 먼저 집필된 마가복음은 이 대사건 1년 후인 AD 71년, 그러니까 예루살렘 멸망 직후에 쓰진 것으로 보인다.

'나는 예수입니다'이 책의 근간은 복음서 중 가장 먼저 집필된 **'마가**

복음'에 나오는 **예수의 행적과 말씀을 중심**으로 1인칭 서술자 형식으로 자술(自述)한 예수전이다.

이 책의 전반부에는 갈릴리에서의 예수『세례 요한과 예수의 관계, 갈릴리에서의 사역(베드로, 안드레, 야고보 요한 등 제자들의 픽업 장면)과, 예수의 이적(異跡: 신의 힘으로 이루어지는 불가사의한 일)』, 후반부에서는 예루살렘에 입성한 예수 행적과 말씀으로 전개된다.

예수는 하나님의 아들이면서 사람의 아들이다. 신성(神性)과 인성(人性)을 함께 가진 양면성의 존재다. 갈릴리 사역에서는 신성이, 예루살렘 입성에서는 인성이 많이 부각된다. 갈릴리에서의 예수는 귀신을 내쫓고, 아픈 사람을 치유하고, 오병이어(다섯 개의 빵과 2마리의 물고기)의 기적으로 5천명을 먹이고, 제자들 앞에서 물위를 걷는 기적의 연속을 보여준다. 이러한 기적을 본 제자들 중 '야고보'와'요한'은 예수가 예루살렘으로 입성하는 길목에서 슬그머니 다가가서 말한다.

"선생님, 소원이 있습니다. 꼭 들어주십시오."

"나에게 바라는 것이 무엇이냐?

"선생님께서 영광의 자리에 앉으실 때 저희를 하나는 선생님 오른편에, 하나는 선생님의 왼편에 앉게 해주십시오."

"선생님은 곧 왕이 되실 것 아닙니까? 그럼 영의정, 좌의정 자리는 제일 가까운 우리 두 형제에게 먼저 안배해 주십시오."

그들은 예수가 갈릴리에서 행한 기적을 목도하였으며, 그러한 권능의 소유자라면 예루살렘에서도 충분히 왕이 되고도 남는다고 생각한 것이다.

다른 제자들을 따돌리고 조용히 다가와 꿍꿍이 수작을 부리는 괘씸한 두 명에게 예수는 다음과 같이 일갈한다.

"너희가 뭔 말을 하고 있는지나 알고 있는지 모르겠다. 그런 자리는 내가 주는 것이 아니다. 그것은 하나님께서 정하실 일이다."

그리고는 12제자를 다 불러놓고 간곡히 말했다.

"통치자로 자처하는 사람들은 백성을 강제로 지배하고, 또 높은 사람들은 백성을 권력으로 내리누른다. 그러나 너희는 그래서는 아니 된다. 너희 중에 누구든지 높은 사람이 되고자 하는 사람은 남을 섬기는 사람이 되어야 하고, 으뜸이 되고자 하는 사람은 모든 사람의 종이 되어야 한다."

그리고 예수는 최종적으로 단언한다.

"나 사람의 아들 예수는 섬김을 받으러 온 것이 아니라 섬기러 왔고, 또 많은 사람들을 위하여 나의 목숨을 바쳐 그들을 대속하려 함이라."

예루살렘의 근처 베나디에 도착한 예수는 작은 나귀를 타고 호산나(지금 구하소서, 부디 도와 주소서, 기도하나이다)를 합창하는 수많은 민중들과 함께 늦은 밤 베나디에 도착하여 예루살렘의 첫 날밤을 보낸다. 다음날 예루살렘 성전으로 가는 길에 숙소 앞에 있는 무화과나무(무화과나무 일반이 아니고 그 한 나무를 지칭함)를 향해 저주를 퍼부었다.

"이제부터 너는 영원히 열매를 맺지 못하여 아무도 너에게서 열매를 따먹지 못할 것이다."

이 부분은 후반부(예루살렘 입성)에 유일하게 등장하는 이적(異跡)인데, 이것은 당시 배고픈 민중들을 외면했던 타락한 유대교의 율법과 구약을 응징하겠다는 일종의 선전포고였다. 겉으로는 그렇게 무성하고 아름다운 녹음방초를 자랑하지만 배고픈 민중의 고뇌를 철저히 외면한 상징물로써 무화과나무, 즉 무화과나무는 곧 구약을 상징하며, 율법을 상징하며, 율법의 권의의 정점에 있는 솔로몬·헤롯성전을 상징하며, 로마제정과 결탁한 유대교의 타락을 상징한다. 그들은 저주되어야 할 대상이며, 뒤엎어야 할 대상인 것이었다. 그래서 예수의 무화과나무 저주는 다음날 예루살렘 성전에서 행할 모든 행위의 상징태로 봐야 한다고 이 책에서는 기술한다.

드디어 예수는 유월절 직전에 예루살렘 성전에 도착했다. 성전에는 번제를 올리느라 고기타는 냄새가 진동하고 환전상들의 호객 소리가 왁자지껄했다. 예수는 거대한 헤롯성전에 들어서자마자 닥치는 대로 사고팔고 하는 모든 사람들을 내쫓으며 환전상들의 탁자를 다 엎어버리고, 비둘기 장수들, 희생양(羊)을 파는 사람들의 의자를 둘러엎었다. 그리고 제사기구들을 나르느라고 성전 뜰을 왔다 갔다 하는 것도 금지 시켰다. 그리고 그들을 향해 크게 소리쳤다. 성서에 하나님께서 '내 집은 만민이 기도하는 조용한 집이 되어야 하느니라' 라고 말씀하시지 아니하였느냐? 그런데 **너희는 이 집을 강도의 소굴로 만들었구나!"**

성전 방문 이틀 날에 발생한 성전전복사건 현장의 많은 민중들은 예수의 가르침에 감탄하였다. 이러한 예수의 행동은 헤롯 왕가를 통한 간접통치방식을 취한 로마권력자들은 강 건너 불구경이었지만, 유대교 당국 입장에서는 반역행위였다. 이 날 이후부터 제사장들과 서기관들은 예수의 언행을 듣고 어떻게 해서라도 예수를 죽여야 한다고 모의하기 시작했다. 하지만 예수는 멈추지 않았다. 셋째 날에도 성전에 나아가 공개변론에 적극 나선다. 제사장들, 서기관들, 장로들, 바리새인, 헤롯당원, 사두개인 등 예루살렘 성전을 뜯어먹고 사는 각 계파의 사람들에게 말씀을 선포하고 그들의 질의에 답을 내린다.

특히 한 사두개인의 부활에 관한 질의("칠 형제가 다 그 여자를 아내로 삼았으니 부활 때에 그들이 다시 살아나면 그 여자는 누구의 아내가 되겠습니까?")에 대해 "성경에 쓰여진 이 말씀은 하나님께서 죽은 이들의 하나님이 아니라, 살아있는 자들의 하나님이라는 뜻이니라. 그러니 너희의 생각은 아주 잘못된 것이다." 따라서 부활의 최종적 의미는 현세적인 삶의 연장을 의미하는 것이 아니라, 바로 영원히 살아

있는 하나님과 융합되는 것임을 설파한다. 예수는 그들에게 또 말한다.

"너희는 성서도 모르고 하나님의 권능도 모르니 그런 잘못된 생각을 하게 되는 것이다. 사람이 죽었다가 다시 살아난 다음에는 장가드는 일도 없고, 시집가는 일도 없어진다. 하늘에 있는 천사처럼 된다."고 말한다.

부활이라는 것이 천당에 올라가 허령한 유리처럼 투명한 인간이 된다는 것을 말한 것이 아니고, 죽어서 천당 가서 천사처럼 된다는 것도 아니다는 정의와 함께 **부활은 결코 현세적 삶의 연장이 아니라는 것을 확고히 천명한다.** 부활해서도 이 여자가 내 마누라냐, 니 마누라냐 하고 따지고 싸워야 한다면 그 따위 부활을 왜 하겠다는 것이냐고. 현세의 고락과 욕망에 찌든 몸이 다시 살아나 부활의 삶을 산다고 한다면 왜 인간이 그 따위 고집(苦集)의 윤회를 위하여 부활을 해야 한다는 말이냐고 설파했다.

또한 예수는 천국운동에 대해서도 한 서기관의 질문에 말씀을 내린다.

"계명이 너무도 많습니다. 그 많은 계명 중에서 첫째가는 계명을 꼽으라고 한다면 무엇을 꼽으시겠습니까?"

여기서 예수는 하나를 말하지 않고 두 가지를 말했다.

"네 마음을 다하고, 목숨을 다하고, 생각을 다하고, 힘을 다하여 주 너의 하나님을 사랑하라! 이것이 첫째요. 둘째는 이것이니 네 이웃을 내 몸과 같이 사랑하라! 이에서 더 큰 계명은 없느니라."

여기서 화자(예수)는 많은 사람들이 나의 말을 곡해하고 있다고 말한다. 후세의 사람들이 첫째 계명이 주이고, 먼저이고, 대전제이고, 둘째 계명이 종속이고, 나중이고, 소전제인 것처럼 나의 말을 잘못이해하고 있다는 뜻이다.

십계명으로 대변되는 하나님의 명령은 야훼와 이스라엘민족간의 계약으로써 성립한 명령조항이며, 그것은 강자와 약자간의 계약이며, 베푸는 자와 베풂을 받는 자간의 계약이다. 야훼는 강자이고 베푸는 자였다. 노예 생활하던 이스라엘 민족을 권능으로 출애굽시킨 강자였다. 따라서 이 명령은 일방적으로 지켜야만 하는, 따라야만 하는 명령인 것이다. 유대인의 모든 계약명령은 야훼와 유대민족이라는 특수집단과의 관계에서만 유효한 것이다.

그러나 나의 하나님은 유대인의 질투와 저주와 엄벌의 하나님이 아니다. 나의 하나님은 사랑의 하나님이며 새로운 계약, 개방된 사랑의 하나님이다.

십계명 등 서기관들이 말하는 계명은 어디까지나 질투하는 야훼와 유대민족간의 사이에서만 유효한 의무조항 같은 것이지만, 내가 말하는 계명은 사랑의 하나님과 전 인류 사이에서 성립하는 계명, 즉 인간이라면 누구든지 받아들이지 않을 수 없는 공개적 진리를 말하는 것이다. 그러므로 **천국운동의 핵심은 "이웃사랑"이고, 그 이웃 사랑이야말로 곧 하나님의 사랑이고 이웃사랑의 절대적 근거가 하나님 사랑임**을 설파했다.

하나님은 무한한 사랑 그 자체이며, 인간의 시비를 뛰어넘는 절대적 존재이며, 우리의 모든 보편적 사유의 근원임을 말씀한 예수의 복음을 많은 민중들은 즐겁게 받아들이고 기뻐했지만, 셋째 날 홀다 대문을 통과하여 이방인의 코트에서 자문자답의 형식으로 선언한,

"서기관들은 그리스도(메시아)를 다윗의 자손이라고 주장하는데 과연 그것은 정당한가?"

"시편의 노래들을 보면 다윗 자신은 그리스도를 '나의 주님'이라고 불렀다. 그런데 어떻게 그리스도가 다윗의 자손이 될 수 있겠느냐? 나 예수는 다윗의 자손이 아니라 다윗의 주님일 뿐이다!"

이 말은 당시로서는 매우 레디칼(급진적인, 과격한)하기 그지없는 발언이었다. 예수는 다윗의 자손으로서 시온산 위에 다윗의 왕국을 건

설하러 오는 메시아가 아니라 지구상의 모든 나라에 하나님의 나라를 선포하기 위하여 온 사람이라는 것, 다윗의 혈통과는 무관한 사람이라는 것, 나는 결코 야훼의 혈통인가를 받은 사람이 아닌 **'갈릴리 민중의 벗'** 이라는 것을 확실히 주장한 것이다. 예수 자신이 다윗의 자손이 아니라 다윗의 주님이라고 말하자 예수를 죽이기 위해 기회를 엿보던 서기관들은 예수를 십자가에 못 박기 위한 계략을 실행에 옮긴다.

죽음의 그림자가 다가오고 있음을 직감한 예수는 베드로, 야고보, 요한만을 데리고 올리브산(겟세마네라)으로 향했다.

"압바! 나의 아버지시여! 아버지께서는 무엇이든지 다하실 수 있사오니, 이잔을 나에게서 거두어주소서."

예수는 무서웠다. 헛도깨비가 아니었다. 진실한 인간이었으며 피가 흐르고 신경이 살아있는 인간 이었다. 여기서의 예수는 죽지 않게 해 달라고, 고통을 피할 수 있으면 피할 수 있게 해 달라고 비는 허약한 한 인간의 담담한 독백이었다.

하지만 예수는 최종적으로 이렇게 기도했다.

"그러나 제 뜻대로 마옵시고 아버지의 뜻대로 하옵소서."

기도를 마치자 제사장들과 서기관들이 파송한 무리가 칼과 몽둥이를 들고 때지어 와서 예수를 붙잡아 갔다. 제자들은 모두 예수를 버리고 도망을 쳤으며, 유다는 예수가 특정(체포) 될 수 있도록 예수에게 다가가 입맞춤해주었다. 슬픈 종말이었다.

체포된 예수는 산헤드린의 재판을 받고, 로마총독이 주재하는 행정재판을 거치기 위해 빌라도 총독에게 넘겨졌다. '산헤드린'은 빌라도 총독에게 넘길 때 3가지 죄목으로 압축된 판결문을 넘겼다. 그 중 세 번째 죄목이 '예수는 자기가 메시아 곧 유대인의 왕임을 주장하고 있다.' 였는데, 빌라도의 관심은 '왕'을 사칭하여 정치적인 반란을 꾀하는 인물이 아닐까 하는 세 번째 죄목에 관심이 집중되었으며 예수의 정치적 비중과 의도를 의심하였다.

"네가 유대인의 왕이냐?"는 물음에 예수는 "그것은 네 말이다." 이 말에 제사장들은 거품을 물고 여러 죄목을 재차 나열(상고)한 바, 빌라도는 또 물어본다. "보라! 사람들이 저렇게 많은 죄목을 들어 그대를 고발하고 있는데 그대는 정녕코 할 말이 아무것도 없단 말이냐?" 제사장들의 군중 선동과 산헤드린의 로마황제 탄원서 등을 염려한 빌라도는 결국 자기의 정치적 안위와 군중의 심리를 만족시키기 위해 '바라빠(살인자)'라는 인물을 방면하고 예수를 십자가에 처하기로 최종 단안을 내린다. 빌라도는 예수를 채찍질하게 한 다음 십자가형에 처하라고 내어준다.

병사들은 예수를 헤롯궁전 앞의 뜰 안으로 끌고 가서 자주색 옷을 입히고, 탱자나무 가시줄기로 면류관을 씌우고, "유다인의 왕 만세!" 하고 외치면서 희롱한 후에 그 자주색 옷을 다시 벗긴 후 십자가를 둘러매게 하고 골고다 언덕길을 끌고 갔다. 그리고 오전에 예수를 십자가에 못 박았다.

"엘로이 엘로이 레마 사박다니! 나의 하나님, 나의 하나님, 어찌하여 나를 버리셨나이까!"

이것이 예수의 최후였다. 이 광경을 모두 지켜보았던 한 백인대장이 이렇게 말했다.

"이 사람이야말로 정말 하나님의 아들이었구나!"

안식일 다음날 이른 아침에 『막달라 마리아』, 『야고보의 어머니 마리아』, 『살로메』세 여인은 예수가 안치된 무덤에 들어갔을 때 웬 젊은이가 흰 옷을 입고 앉아있었다. 그 젊은이는 이렇게 말했다.

"예수는 여기에 계시지 아니하다. 우리보다 먼저 갈릴리로 가셨다."

세 여인은 빈 무덤에서 무서워 벌벌 떨면서 아무 말도 하지 못했다. 빈 무덤! 이것이 마가가 전하는 복음서(예수전)의 대미이다.

도올의 예수전 '나는 예수입니다.'이 책을 읽기 전 나는 틈틈이 도올의 '마가복음 강해' 인터넷 강의를 들은 적이 있었다. 미리알고 준비한 것은 아니었지만 나름의 궁금 점과 지적 갈망이 있던 시기에 마침 '나는 예수입니다.' 책이 출간되었다는 소식을 듣고 서점으로 달려갔다. 사전에 나름의 준비와 예습을 한 덕분에 이 책의 첫 장부터 마지막 페이지까지 큰 어려움 없이 읽을 수 있었다. 예수에 관한 진실, 가장 인간적인 예수, **가장 신성한 예수의 모습**을 조금 더 깊게 한층 더 진지하게 만날 수 있었다.

멈추지 않는 도전

저자 박지성

축구의 본고장 잉글랜드 프리미어리그.

그의 발을 떠난 공이 골네트를 출렁거리자 두 주먹을 불끈 쥐고 환호하는 동료선수들과, 올드 트래포트에 모인 6만8000명 관중 속으로 달려가는 축구선수 박지성. 세계 제일의 축구 명문구단 맨유에서 당당히 주전 공격수로 활약하고 있는 그가 오늘의 세계적인 스타 플레이어가 되기까지 남몰래 흘린 절망의 눈물과, 운동선수에게는 최악이라는 평발과 왜소한 체구, 집안의 가난 등 숱한 역경을 이겨낸 선수라는 것을 아는 사람은 많지 않을 것이다.

나 역시도 그러했다.

나는 그가 2002년 한. 일 월드컵에서 좋은 활약을 했을 때도 뛰어난 선수 중 한명으로 약간의 운과 함께 히딩크 감독에게 선택되어 잠깐 반짝이다 잊혀 질 수 있는 평범한 축구 국가대표 선수 이러니 생각했었다.

그러나 이번에 그가 쓴 '멈추지 않는 도전' 이라는 책을 읽으면서 그러한 나의 생각이 많은 부분 편협 되고 잘못된 것이었음을 알게 되었다.

초등학교 4학년 때 축구와 첫 인연을 맺은 박지성은 학창시절 내내 왜소한 신체조건 때문에 콤플렉스에 시달려야 했다. 한국의 학원 축구에서는 기술보다 체격 조건이 선수들의 능력을 판단하는 중요한 요소가 되는 것이 현실이었기에 작은 키와 왜소한 체격은 그가 우수한 선수로 인정받는데 압도적으로 불리하게 작용했다.

부모님의 뜻에 따라 체격을 키우기 위해 보양식으로 개구리까지 먹었지만 기대하는 만큼 크지 않는 키는 어쩔 수가 없었다. 하지만 포기하기는 일렀다. 언제가 누군가는 내가 가지고 있는 잠재성을 인정해 줄 것이라는 믿음으로 기본기를 꾸준히 연마하고 체력을 부지런히 길렀다. 초등학교부터 고교 때까지 공만 있으면 집주변의 골목길, 혹은 그의 방에서 헤딩으로 공 컨트롤하기, 공 떨어뜨리지 않고 무릎과 발등으로 트래핑하며 집주변 돌기 등의 훈련 방법으로 기술력을 키웠으며, 다른 친구들이 멋진 드리블과 슈팅을 연습할 때도 짧은 거리의 패스와, 남들이 싫어하는 단거리 왕복 달리기 훈련 등을 통해 체력 키우기를 끊임없이 반복했다.

그가 오늘날 큰 경기에 임하기 전에 언제나 '내가 이 경기에서 최고다. 이 그라운드에서는 내가 주인공이다. 여기 22명의 선수가 있지만 나보다 나은 녀석은 아무도 없다.' 라고 항상 주문을 외우며 경기장에 당당하게 들어서는 것도 학창시절부터 꾸준하게 다져온 기본기와 체력에 대한 강한 자신감이 있었기 때문에 가능한 것이었다.

이렇듯 그는 자신의 왜소한 체격에 좌절하거나 굴하지 않고'준비된 자에게 기회는 온다'는 신념으로 도전하고 노력한 결과 한 때 K-리그에서조차 외면 받던'2등 선수'에서 세계 최정상의 프리미어리그로 우뚝 선 것이다.

미래를 향해 멈추지 않고 나아가는 그의 도전 정신은 축구에서만 한정되지 않고 세계무대로 뻗어나가기 위해 필수적인 외국어 공부도 게을리 하지 않았다. 요즘 같은 글로벌 시대에 외국어는 필수다.

그런 의미에서 한국어를 제외하고 3개 국어를 구사할 수 있다는 그의 외국어 실력도 당연 프리미어리그감이라 생각된다. 또한 소속팀 맨체스터 유나이티드팀의 동료 선수들과 팀웍과 우정을 쌓아가는 과정에서 보여준 그만의 독특한 친화력인'먼저 인사하기 '와'약속 잘 지키기'도 우리들이 배워야 할 자기관리법이었으며, 모든 것을 포기하고 싶을 정도로 힘들었던 네덜란드에서의 슬럼프시기에 홈팬들까지 야유를 보내는 처절함 속에서도, "두 발 뒤로 밀려나더라도 다시 한 발씩 앞으로 전진 한다. 누구나 넘어질 수 있다.' 며 작아진 자신감에 영양분이 될 만한 전날의 경기 내용을 하나씩 머릿속에 정리하면서, 구멍난 곳을 메우듯 채워가며 스스로를 다독이고 독려하여, 1년 동안의 긴 슬럼프를 극복하는 부분에서는 콧날 시큰한 감동을 불러일으켰다.

'실패와 성공은 마음먹기에 달려있다. 실패했다고 생각하면 그 순간부터 실패의 길로 들어서는 것이다. 하지만 포기하지 않으면 실패는 없다. 슬럼프에 빠질수록 자신감을 가져라.'며 꿈을 이루기 위해 그라운드를 누비는 그의 도전적이고 진취적인 모습은 비단 축구선수에게만 한정되는 것이 아니라 우리들이 일상에서 고난과 역경에 쳐했을 때도 스스로의 마음속에 주문하며 새겨야 할 잠언이라 생각된다. 성공한 사람들은 항상 자신의 미래를 긍정적으로 그린다는 공통점을 가지고 있다고 한다.

여기에 박지성 선수가 덧붙인 '성공을 향한 집념을 가지고 끊임없이 노력해야 원하는 결과를 얻을 수 있다, 노력하지 않으면 행운도 외면한다'는 그의 마지막 말은 그래서 더욱 더 의미 있게 들린다.

그래서인지 박지성의 멈추지 않는 도전 정신은 어느새 축구선수 박지성 그만의 것이 아닌 이 책을 끝까지 감명 깊게 읽은 내 가슴에 프리미어리그의 함성보다도 더 큰 울림으로 전해졌다.

아인슈타인이 괴델과 함께 걸을 때

저자 짐 홀트

아인슈타인은 고유명사가 아니고 일반명사로 여겨질 정도로 과학자 중 가장 많이 알려진 반면, 괴델은 천재 수학자이지만 일반인이 잘 모르는 사람이다.

사실 나도 이 책을 읽기 전에는 잘 몰랐다. 괴델은 수학자(數學者)들만 아는 문제들을 제기한 수학(數學)의 신계(神界)에 있는 인물로 알려져 있다.

1906년생인 괴델은 25살에 독일의 쾨니히스베르크 학회에서 **불완전성의 정리**를 발표했는데, 그 때는 거의 아무도 이해하지 못했다. 수학 명제가 설령 그것을 증명할 가능성이 없더라도 참이라는 말이 도대체 무슨 뜻이란 말인가? 당대의 숱한 천재들도 이해 못한 명제를 일반인인 우리가 무슨 수로 알 수가 있겠으며, 설령 뜻을 안다고 한들, 우리네 인생에서 먹고 자고 살아가는데 불편함이 없을 진대 난해한 수학 이론을 이해하는 것이 그닥 무슨 의미가 있을까?

일반적으로 독서를 하고 공부를 한다는 것은 앎에 대한 지적(知的) 욕구와 함께 그 책의 내용을 이해하기 위한 배경지식(背景知識)을 하나씩 엮어내는 묘한 긴장감이 흐르는 법인데, 이 책을 읽는 내내 과학

(科學)과 수학(數學)의 배경지식(背景知識)이 부족한 나에게는 화면 전체에 무지(無知)의 고통(苦痛)만 가득했다.

하지만 지리산 등산을 아무리 자주해도 산 속의 지형을 속속들이 알 수는 없거니와 큰 산을 한 번 오르고 난 후 작은 오솔길 하나라도 발견 하면 이 또한 큰 성과(成果)가 아닐까 자위(自慰)하면서 과학(科學)과 수학(數學)의 신계(神界)에 있는 천재(天才)들이 나누는 선문답(禪門答)의 끄트머리 하나라도 잡아보는 심정으로 이 책을 읽기 시작했다. 거금 이만 칠천 원 책을 책꽂이에만 전시 할 수는 없지 않은가!

먼저 아인슈타인의 상대성 원리는 누구나 많이 들어보고 안면이 있는 이론이다. 예컨대 인터스텔라 등 SF영화에서 개념을 활용 또는 응용해서 시공간 영역을 가상하여 만든 영화에서 많이 경험했었고, 블랙홀을 통해서 시간을 뒤로 가게하고 앞으로 보내는 시공간 영역을 가상하여 만든 영화에서 접한 경험이 많다. **들어는 봤지만 뭔지 잘 모르는 상대성 원리.** 뉴턴의 절대시공간을 상대적으로 바꿨다는 상대성 원리. 그렇다면 여기서 말하는 시간은 뭐고 공간은 무엇인가? 우리에게 시간은 숫자다. 뉴턴 이전의 시간은 아침에 눈 뜨면 시작해서 밤에 끝나는 것이 시간이었다. 당시의 시간이란 시작과 끝이 있는 사건의 반복 행위라 생각했었다.

그런데 뉴턴은 시간의 정의를 인간, 우주와 무관한 추상적이고 수학적인 존재라 했다. 시간은 매끄럽고 일정한 속도로 과거에서 미래로 나아간다고 했다. 김상욱 교수의 설명에 의하면 **뉴턴 이전에는 시간이 나와 분리된 적이 없다고 믿고 있었고** 그것이 보편적으로 통용되고 있었다.(절대적이기 때문에 누구에게나 어디서든 똑같은 시간과 공간이다.) 또한 '시간은 물질의 변화나 배치와 상관없이 존재하는 숫자에 불과하고, 온 우주에 걸쳐 과거, 현재, 미래가 공통으로 적용되는 절대적 존재, 즉 우리의 느낌과 무관한 수학이어야 한다는 절대 시공간의 개념 『수학화(數學化)된 물리법칙(物理法則)』을 정립했다'고 했다.

　이러한 뉴턴의 절대적 시공간을 상대적으로 바꾼 상대성 이론을 아인슈타인이 발표한다. 시간과 공간은 절대적인 것이 아니라, 측정하는 사람의 상태에 따라 달라지며, 측정자에 따라 시간과 공간에 변화가 일어난다는 것이다. 즉 '상대적이다'라는 뜻이다. 무언가를 지키기 위해 시간과 공간의 절대성을 깬 아인슈타인이었지만 지키려고 했던 것은 물리법칙 그 자체【기존의 F=ma(힘=질량×가속도)】이론과 전자기 유도 법칙(고리 모양의 도선으로 만들어진 코일을 통과하는 자기장이 시간에 따라 변하면 코일에 전류가 유도되는 현상. 영국의 물리학자 패러데이가 최초 발견)이었다. 그런데 두 법칙에 모두 등장하는 시간과 공간을 비교해보니 모순이 있다는 걸 발견한다. 그렇다면 이 두 법칙을 조화롭게 할 수는 없을까? 고민 끝에 아인슈타인은 둘 중에 하나를 바꿔야한다는 결론에 이른다. 여기서 아인슈타인은 F=ma를 뜯어고친다. 시공간의 절대성을 깨야한다는 것이다.

예컨대, 정지한 사람이 재고 있는 시간과 움직이는 사람이 재고 있는 시간은 다르며, 관측자의 상태에 따라 시간과 공간은 달라진다는 사실을 발견한 아인슈타인은 관측자의 상황에 따라 달라지는 시간의 흐름 보편적 시간 개념을 파기한다. 일상에서 우리의 오감으로는 인식하거나 느낄 수 없지만 정지한 상태에서의 관찰자와 움직이는 상태에서의 관찰자의 시간은 다르다. 빛의 속도로 움직이는 상태에서는 시간은 절대적이지 않고 상대적으로 나타난다는 뜻이며, 따라서 시간과 공간은 물체의 질량과 속도에 따라 공간과 시간이 왜곡되어 빛의 속도에 가깝게 움직이는 물체 관측 시 시간은 엉망진창이 된다고 한다.

『좋은 예로 핵변환 관찰 실험 시 어떤 입자의 핵변환 수명이 1시간일 때 어떤 입자가 빠른 속도로 이동할 때 측정해보면 놀랍게도 1년이 지나도 핵변환이 진행되지 않는다. 같은 입자임에도 수명차이가 나는 것은 속도가 빨라서 그런 것이다. 일상에서 우리가 사용하는 네비게이션을 예로 들어도 그것을 사용할 때 지구를 따라 움직이고 있는 인공위성의 시간 보정을 하지 않으면 정확한 용도로 쓸 수가 없는 것이 그 예이다. 그래서 영화 인터스텔라에서 인류가 생존할 수 있는 새로운 곳을 찾기 위해 블랙홀을 통해서 우주선이 들어간 다음 시간 흐름의 차이에 따라 우주로 간 아버지는 젊은 상태로, 그의 딸은 할머니가 된 상태로 재회한다는 것이 이론상으로 가능하다는 것이다.』

-김상욱 교수 해설 인용 -

그렇다면 뉴턴의 절대적 시공간의 개념은 틀린 것인가? 아인슈타인 이전의 물리학자들의 노력은 헛고생인가? 여기서 과학자들은 상대성을 갖는 시공간이지만 차이가 크지 않을 때에는 뉴턴 역학으로 설명이 가능하며, 물리학이 혁명을 맞으면 이전 물리학은 무너지고 새로운 물리학으로 대체될 것이라고 일반인들은 생각하지만 과학은 그렇지 않다고 이 책에서는 설명한다. 즉 **새로운 물리 이론이 나오면 기존의 이론을 보완 또는 포괄하는 이론으로 진보**한다고 설명한다.

괴델의 불완전성 정리를 이해하기 위해서는 수리논리학과 러셀의 집합론의 역설과 함께 소수론(素數論)도 이해해야 하는데 우리가 수학 시간에 배운 유클리드의 무한 소수 증명(수의 원자는 소수인데 가장 큰 소수는 없다=소수는 무한함)과 수학이 무엇인가에 대한 형식주의, 직관주의, 논리주의, 플라톤주의 등 철학적인 조언들과 연결되어 있다고 작가 짐 홀트는 말한다.

수가 활약하는 수학(정수론)의 세계에서 소수(素數)는 1과 본인만으로 나누어지는 1이외의 수(2,3,5,7,11,13,17,19......, 등)를 말하는데 수천 년 동안 수학자들은 왜 소수에 집착하고 탐구하는가? 유클리드는 정수론에서 만약 소수의 개수가 유한하다면, 그 모든 소수를 곱한 다음에 1을 더하면 임의의 소수로 나눌 수 없는 새로운 수가 나올 것인데, 이는 가정에 반하므로 불가능하다고 정의한다. 그렇다면 이렇게 무한한 소수들은 나머지 수들 중에서 어떻게 흩어져 있으며 어떤 패

턴이 있는가? 소수는 작은 수들 중에서는 꽤 자주 나타나며, 수가 커질수록 더 드물게 나타난다.

예컨대, 열 개의 수 중에서 네 개가 소수이다(2,3,5,7). 다음 100개의 수 중에서는 스물다섯개가 소수이다. 조금 더 확대하여 9,999,900과 10,000,100사이에서는 아홉 개가 소수이다. 이렇게 시작한 소수는 정수, 분수, 실수, 복소수까지 올라가다보면 **리만의 제타 가설이 또 나온다.**(리만의 제타 함수는 천재 수학자인 존 내시도 연구 중 정신분열증이 생겼을 정도였다 하니 일반인들의 영역이 아닌 것은 분명하다.)

수학자들에 의하면 리만의 제타 가설은 단지 소수를 이해하는 열쇠 이상이다. 수학의 발전에 너무나도 핵심적이기에 수천 가지 정리의 잠정적인 증명들은 그 가설이 참이라고 무작정 가정하고 있을 정도이다. 만약 리만 가설이 거짓이라고 드러나면 그 위에 세워진 고등수학들의 일부는 무너질 것이라고 단언한다. 【1895년에 발표한 리만 가설(소수 정리)의 핵심은 제타함수의 수식에서 n항의 합은 1에서 양의 정수들의 무한대에 이르고, s는 1보다 큰 양의 정수다. 리만은 제타 함수에서 복소평면에서 x=1인 경우를 제외한 복소수를 포함시켰다. 리만은 제타 함수가 모든 음의 짝수인 경우에 0이 된다는 것을 알았고, 실수부가 0보다 크고 1보다 작은 복소수는 해가 무한히 많다는 사실을 알게 되었다. 리만 제타 함수의 값이 0이 되는 명확하지 않은 복소수 근

의 실수부는 1/2라 추측했고 이것이 리만 가설로 알려지게 되었다.】

유클리드, 러셀, 오일러, 뉴턴, 가우스, 리만, 아인슈타인, 닐스 보어, 하이젠베르크 등 수학과 물리학의 신계에 있는 이 신선(神仙)들의 난해한 수학과 물리이론 중 일반인들이 일상에 가장 많이 접하는 부분이 정수론과 기하학의 일부분이라고 볼 때 수학의 원자인 소수는 기하학에도 내재되어있다.(정수=〉기하학=〉고전물리=〉양자역학)

괴델 이전의 유클리드의 정수론과 기하학은 오늘날 물리학과 양자역학에 이르기까지 기본이 되고 있다. 유클리드의 기하학에서 가우스에 의한 비유클리드의 기하학으로의 전환은 기존의 부정이 아닌 또 다른 기하학의 발전 또는 탄생으로 받아들이는 것이 그 좋은 예이다. 면의 형태가 달라도 여전히 유클리드의 기하학은 성립되며, 반대로 평평하지 않은 면의 기하학도 성립된다.

예컨대, 비유클리드 기하학에서는 **굽어있는 공간(곡률 또는 곡면)에서의 삼각형 세 각의 합은 180°보다 크다.** 이러한 현상을 모순이 아닌 새로운 공리에 따라 만들어진 체계라고 리만은 설명한다. 기존의 공리(법칙)를 깨고 새로운 공리 체계를 만들지만 유클리드 기하학과 리만의 기하학(비유클리드 기하학)은 일맥상통한다는 논리를 따르면 우리가 철석같이 믿었던 공리는 어딘가에 따로 있다는 뜻인가?
수학적 세계의 '불가사의한 아름다움', '수학의 본질은 자유다.'라고

통 치면 수학의 공리는 일관성이 무너지는 것이 아닌가? 기존 법칙이 성립하지 않자 확장된 수학을 사용하기 시작한 것이 아닐까?

'모든 크레타인은 거짓말쟁이'라고 선언한 크레타인의 역설과 괴델이 말한'나는 증명될 수 없다고' 말할 때, 이 말이 거짓일 수 있을까? 여기서 괴델은 어떤 논리체계도 수학의 모든 진리를 판단할 수 없다는 결론(어떤 논리 체계에서도 참이지만 증명할 수 없는 명제가 존재한다는 결론)의 제1불완전성 정리와, 수학의 어떤 논리체계도 스스로의 수단에 의해 무모순임을 보일 수 없음을 증명한 괴델의 제2 불완전성 정리를 발표하지만, 이러한 논리가 수학의 지식 체계의 유일한 길은 아닌 듯하다.

이러한 공리(법칙)와 관련해서 뉴턴 역학과 아인슈타인의 상대성이론, 유클리드 기하학과 비유클리드 기하학은 일맥상통하는 논리가 있다고 생각되어진다. 유클리드와 같이 3차원 좌표계에서 기술되는 물리학이 뉴턴 물리학이고, 시공간이 휘어질 수도 있다고 해서 기술되는 새로운 동역학이 아인슈타인 일반 상대성 이론이라고 생각할 수 있겠다. 다시 말해 뉴턴 역학은 아인슈타인의 물리법칙의 부분집합이고, 유클리드 기하학은 비유클리드 기하학의 부분집합이라고 설명할 수 있다는 뜻이다. 경제학의 사례를 비유하자면 아담 스미스의 보이지 않는 손 이론이 존 내쉬의 게임(균형)이론(경쟁 상대들 사이에서 벌어지는 위협과 반응의 역학 관계를 균형의 개념으로 설명하는 이론) 일정

부분과의 부분집합으로 해석도 가능할듯하다.

어렵게 괴델과 아인슈타인의 언덕길을 지날 쯤 이 책의 중간쯤 (P.162) 양자역학이 나온다. 양자론은 무엇인가? 작가 짐 홀트와 위대한 천재 물리학자들의 설명보다 김상욱 교수의 대중강연에서 한 설명이 더 쉽게 와 닿는다. 김 교수는 양자역학을 연극무대에 비유했는데, 연극의 3요소 즉, 무대(시공간), 배우(물질), 관객(관찰자)이 있을 때 상대성 이론에 대입하면 배우의 움직임에 따라 무대가 변형되고, 양자역학에 비유하면 원래 관객은 연극에 영향을 주지 말아야 되는데 관객(관찰자)이 배우(물질)를 보면 배우(물질)에게 변화가 생긴다고 설명한다. 관측하는 행위가 대상에 영향을 준다는 과학역사상 최초로 관객이 무대 안으로 들어오는 체계가 양자역학이라는 것이다. 문제는 양자론은 물질의 상태를 기술하는 학문이고(양자역학에서의 시공간은 절대 시공간), 상대성 이론은 처음부터 시공간이 대상이 된 이론이므로 두 이론이 딱 맞아 떨어지기가 힘든 관계인 것으로 설명한다.

특히 양자역학의 대표선수인 불확정성원리(입자의 위치와 운동량을 모두 정확하게는 알 수 없다는 원리)에 들어가면, 아인슈타인과 하이젠베르크의 틀어진 사이만큼 간격은 더 멀어진다. 훗날 사회학자들은 1927년에 발표된 하이젠베르크의 불확정성의 원리와, 1931년에 발표된 괴델의 불완전성원리는 1차 세계대전 후 유럽사회가 혼란스러울 때 등장한 이론으로 확실성이 붕괴한 시대와 연관 짓기도 하였다.

어쨌든 일반상대성 이론과 양자역학이 부딪히는 지점을 융합하기 위해 **통일장 이론**(우주의 근본 물질과 그들 사이의 상호작용을 하나의 이론으로 설명하는 가상적인 이론), **초끈 이론**(물질의 최소단위를 진동하는 끈으로 보고 우주의 궁극적인 원리를 밝히려는 이론) 등이 이 책에 등장하지만 아직 정착 단계는 아닌 것으로 파악된다.

또한 이 책의 후반부에는 미적분 관련 설명도 이어지는데, **많은 사람들에게 수포자의 길을 가게 한 미적분**과 관련한 이론의 시작점은 기원전 5세기 제논의 역설(만약에 공간을 무한히 나눌 수 있다면 발이 빠른 영웅 아킬레스가 거북이와 달리기 시합을 하더라도 앞서 출발한 거북이를 따라잡을 수 없다는 역설. 왜냐하면 공간이 무한히 나누어지니까)에서 시작된다. 다른 형태의 표현으로는 날아가는 화살은 정지해 있다. 논리적으로 맞는 말인데 현실에서는 왜 화살은 날아가서 과녁에 꽂히는 것일까? 또 현실에서는 발이 빠른 아킬레스가 거북을 따라 잡는데 전혀 이상이 없음을 우리는 보고 있고 알고 있지 않은가? 과학에서는 이러한 일반적인 논리를 오류하고 설명한다. 다시 말해서 아킬레스가 거북이에게 접근하는 시간이 무한대이므로 도달할 수 없다는 것이다.

위 내용과 관련하여 이어지는 수학적 이론이 무한소(0에 한없이 가까워지는 상태 등을 나타내는 대수학용어)와 무한대(무한히 커져가는 상태 등을 나타내는 대수학용어) 개념이다. 처음 등장한 이후 아리스토텔레스는 명백한 오류지만 증명할 수 없다고 하여 '실' 무한을 금지시켰다(내 주관적 느낌은 아리스토텔레스가 몰라서 열 받은 것이 아닌가 싶음). 무한소가 존재한다면 생기는 현상은 예컨대, $[($무한소$\times 2) \div 2 = ?] =>$무한소, $[($무한소$\div 2) \times 2 = ?] => 0$아니면 무한소, 이러한 계산에 따르면 무한소는 먼저 곱하고 나눈 것과 먼저 나누고 곱한 것은 다르다는 결과가 나온다. 그래서 존재한다고 해도 다룰 수 없는 현실이 되어버린 무한소는 17세기 갈릴레오가 내놓은 갈릴레오 역설에서 부활하여 1845년부터 1918년까지 살았던 러시아 태생의 독일 수학자 게오르크 칸토어에 의해서 무한의 이론이 재 점화 된다.

이러한 지난한 역사 속에서 뉴턴과 라이프니츠가 거의 동시에 '무한소의 미적분' (오늘날 우리가 미적분이라고 부르는 수학 분야)을 발명함으로써 미적분 이론이 탄생 되었다. 뉴턴의 미분방정식으로 쓰인 $F=ma$가 나온 배경으로는 물리학의 창시자 갈릴레오이다. 갈릴레오가 실험을 통해서 알게 된 것은 아무조작을 하지 않았을 때, 다시 말해 외력이 없는 물체의 가장 자연스러운 운동은 등속직선운동(물체의 속력과 운동방향이 한 개의 값으로 일정하게 유지되는 운동)이라고 했다. 이에 의하면 정지 상태도 등속직선 운동이다. 참고로 아리스토텔레스도 "물체의 자연스러운 상태는 정지하고 있는 상태이며 힘이나 충격을 받을 때에만 운동이 일어난다."라고 했다. 그래서 과학의 중요한 목적은 움직임의 원인을 찾는 것이었다.

여기서 2000년 동안 이어온 자연스러운 정지운동에 대해 뉴턴은 의문을 품는다. 이 물체들은 왜 정지돼 있지? 결론적으로 뉴턴은 외부에 있는 물체가 마찰력을 발휘해 멈추게 한 것이라고 생각한다. 또한 뉴턴은 사고실험을 통해 이 사실을 확인하고 자연스러움의 기준을 바꾼다. 이때부터 등속운동이 자연스러울 때 등속이 아니면 부자연스러운 것으로 바뀐다. F=ma에서 가속도 a가 나오는 순간 여기에는 원인이 있어야 되고, 뉴턴은 그 원인을 힘(F)이라 부른다. 그렇다면 속도가 변하는 것을 수학적으로 어떻게 기술할까? 속도 변화에 시간을 도입하여 어떤 시간 간격 동안 얼마나 속도가 바뀌었는지를 무한히 짧은 시간 동안의 변화를 변화라고 정의하자고 한다. 그렇다면 무한히 짧은 시간 동안에 무한히 조금 변한 것은 유한한 값이 나올까?

또다시 뉴턴은 제논의 역설로 돌아간다. 속도는 유한하다는 것이다. 헤어날 수 없는 역설을 물리학적으로 전환하면 무한히 작아지는 두 개의 무한소 비(比)는 유한 할 수 있다는 것, 예컨대, 반씩 줄어드는 두 무한소의 비율이 '1'일 때 무한소 그 자체로 존재여부를 논 할 수는 없지만 무한소와 무한소를 나누면 유한하다는 것이다. 미분이 이렇게 탄생한다. 적분이란 무한을 무한히 더하면 유한하다로 설명되고. 적분의 기하학적 의미는 곡선의 면적이 되고 그래서 면적이나 부피를 구하는 것이 적분이 된다. (어쨌든 뉴턴 덕분에 미적분은 수학의 중심으로 입장하고 동시에 내 같은 수포자들은 고통의 시간으로 퇴장하게 된다.)

총 9부로 구성된 이 책의 후반부(6부~9부)에는 영웅주의, 비극, 컴퓨터 시대, 다시 살펴보는 우주, 짧지만 의미 있는 생각들, 신, 성인, 그리고 헛소리 등 최근의 이슈가 되고 있는 수학과 과학의 심오한 이론과 에피소드 중심으로 짐 홀트 특유의 글로 새로운 통찰력을 안겨준다. 이 책을 읽는 내내 앞서 이야기 한 수학과 과학의 신선들 못지않게 작가 짐 홀트도 내가 보기엔 신계에 가까운 인물이라 생각되어졌다. 신선들이 뭘 하고 있는지를 인간계의 우리들에게 인간의 언어로 설명해주는 것은 생각만큼 쉽지 않은 일이다.

나는 평소에 독서를 할 때 내가 잘 모르는 부분이나 이해하기 어려운 영역에는 오른쪽 여백에 세로로 줄을 긋고, 1회독 후 다시 한 번 더 읽어보는 습관이 있는데 이 책을 읽은 후 돌아보니 절반이상 세로 줄 처리가 되어 있었다.

예컨대, 빛과 전자가 입자이고 파동이라는데 무슨 말인지 솔직히 잘 모르겠다. 우리가 살고 있는 거시세계(巨視世界)에는 그런 것이 없지 않나? 상대성 이론도 마찬가지이다. 움직이는 물체가 빛의 속도에 접근하면 크기가 줄어들고 시간이 느려진다. 가속에 쓴 에너지가 질량으로 바뀌어 물체의 질량이 증가하고, 중력은 힘이 아니라 시공간을 휘게 만드는 방식으로 존재를 드러내고, 빛은 직선으로 달리다가 별 가까이에서 휜다. 별이 물체를 끌어당겨서가 아니라 중력이 시공간을 구부렸기 때문이라 한다.

이러한 이론과 설명을 몇 번을 생각하고, 몇 올 안남은 머리끄덩이를 쥐어뜯어도 현실에서 빛의 속도를 보거나 구부러진 공간을 느낄 수 없으니 어쩌겠나? 그냥 그러려니 하고 넘어갈 수밖에. 그 만큼 이 책은 난해하고 생소한 내용들이 많았지만 인류사의 위대한 사상가(수학, 과학, 철학)들의 지적인 삶 속으로 조금은 가까이 가 볼 수 있었던, 그리하여 그들이 나누는 선문답의 지성의 향기라도 조금은 맡아본 **고통스러웠지만 아름다운 고통의 시간들**이었다.

거꾸로 읽는 세계사

(드레퓌스 사건)

저자 유시민

한 때, 수험생을 둔 가정이나 일반 가정의 책꽂이에 꽂혀있는 책 3권을 꼽으라면 『**이문열의 삼국지, EH 카의 역사란 무엇인가, 유시민의 거꾸로 읽는 세계사**』라는 말이 있었다. 그 정도로 대중이 많이 읽은 책 중의 하나가 '거꾸로 읽는 세계사'이다. 내가 이 책을 처음 접한 것은 20대 중반이었으며, 책을 고른 이유 중에는 제목이 삐딱하다는 느낌도 한 몫 했었다. 책은 구입했지만 그 때는 청춘의 일상이 바쁜 시기라 읽는 둥 마는 둥 대충 훑어보고는 잊고 지내왔다. 그러다 코로나 시국에 이 책을 다시 구입했다.

몇 년 전 새 집을 건축하면서 짐 정리를 한답시고 낡은 세간 살림과 헌 책들을 모두 처분한 후라 그 즈음에 나도 목이 말라있었다.

동방예의지국에서는 목마른 사람이 우물을 파는 것이 상례(常例)다.

작가의 말에 의하면, 제목만 그대로이고 초판에 비해 다른 사건은 거의 같지만 문장은 뜯어 고치고, 정보량은 늘렸고, 해석을 더러 바꿨으며, 각주를 꼼꼼하게 달았다고 했다. 말 그대로 "다시 썼다"고 했다.

작가의 약 선전과 나의 목마름이 맞아 떨어진 지난겨울, 나는 외투

옷깃을 잔뜩 세우고 '거꾸로 읽는 세계사'를 새 책으로 다시 만났다.

이 책은 20세기 세계사의 흐름을 바꾼 큰 사건들 중심으로, 그 서막을 알리는 『드레퓌스 사건』과 『사라예보 사건』, 『러시아혁명』, 『대공황』, 『대장정』, 『히틀러』, 『팔레스타인』, 『베트남』, 『맬컴 엑스』, 『핵무기』, 『독일 통일과 소련 해체』, 『알 수 없는 미래(에필로그)』등 12챕터를 연대순(年代順)으로 구성했다.

제목만 봐도 한 세기를 지나면서 그 시대의 큰 전환점이 된 사건 사고임을 알 수 있다. 그 중에서도 드레퓌스 사건과 대장정은 나름의 큰 의미가 있다고 생각한다. 드레퓌스 사건은 민주주의 시대의 도래를 알린 사건이었으며, 대장정은 중국 공산당의 개막을 예고하는 점에서 두 사건이 비교가 되었다. 지금의 시점에서 보면 드레퓌스 사건은 역사속의 사건이 되었지만 대장정은 종료 후 오늘날 까지 중국 사회주의 체제의 진행행이라는 점에서 차이가 난다.

〈20세기의 개막 드레퓌스 사건〉
드레퓌스 사건은 1894년 9월 프랑스 육군 참모본부 정보부 소속의 '위베르 앙리'소령이 파리 주재 독일대사관의 우편함에서 정보원이 빼낸 익명의 편지를 조사하면서 시작됐다.
참모본부는 프랑스의 군사기밀이 적힌'명세서'를 독일대사관의 무관 '슈바르츠코펜' 에게 넘겼다는 혐의로 '드레퓌스' 대위를 체포했다.

명세서에 담긴 내용이 참모본부 요원이 아니면 알 수 없는 것이어서 근무자 전원의 필체를 조사했고, 드레퓌스 대위의 필체가 명세서와 같다고 판단해 용의자로 특정했다. 하지만 진짜 이유는 필체의 유사성과 상관없이 그가 유대인이라는 사실 때문이었다. 신문들은 용의자의 신분을 '프랑스군 장교'가 아닌 '유대인 대위'라고 썼고, 재판을 하기도 전에 간첩혐의를 덧씌워서 '반역자'로 규정했다.

그해 12월 군사법원은 신속히 비공개 재판을 진행해 드레퓌스에게 반박기회도 주지 않은 채, 군적 박탈과 종신형을 선고했고, 드레퓌스는 남아메리카의 악마섬에 갇혔다. 물론 드레퓌스는 단 한 번도 혐의를 시인하지 않았다.

용의자일 때도 그랬고, 피고인으로 법정에 섰을 때도 그랬다. 유죄 선고를 받고 죄수가 된 뒤에도 마찬가지였다. 육군은 드레퓌스가 졸업한 사관학교의 연병장에서 그의 군적 박탈행사를 열고, 군복 단추와 계급장을 뜯어내고, 군도를 부러뜨렸다. 이때 까지만 해도 아무도 판결의 정당성을 의심하지 않았다. 극소수의 사람들만이 비공개 재판의 흠결과 언론의 반유대주의 선동과 군중의 폭력행위를 개탄했다.

허위자백을 거부하고 악마섬의 수감되었을 때 드레퓌스가 아내에게 보낸 편지에서 그의 심정이 고스란히 드러난다.(후에는 서신왕래도 금지했다)

『어떤 악마가 정직한 우리 가정에 이런 불운과 불명예를 던져놓았
을까? 그러나 내 용기는 아직 꺾이지 않고 있소. 내가 항상 명예
와 정의를 지켜왔으며 의무를 다른 무엇보다 앞세워왔다는 사실을
당신도 알 거요. 이것이 바로 내가 살아야 하는 이유요. 나는 온 세
상을 향해 내 무죄를 외치소 싶소. 내 숨이 끊어질 때까지, 내 피
의 마지막 한 방울이 남을 때까지 나는 쉬지 않고 매일 무죄임을
외칠 것이오.』

드레퓌스의 아내 '뤼시'는 남편을 믿었다. 세상이 아무리 손가락질
을 해도 흔들리지 않았다. 그녀는 남편에게 이렇게 답장을 썼다.

『당신의 아내임이 자랑스러워요. 우리가 겪은 고통을 우리 외에는
아무도 겪은 사람이 없다고 할지라도, 이 무서운 불운이 우리를
덮치기까지 우리가 누렸던 그 완전하고 깨끗한 기쁨을 맛본 사람
은 몇 없을 거라고 생각합니다. 그 행복한 생활을 되찾느냐 못 찾
느냐는 우리에게 달려 있습니다. 그러려면 이 무서운 수수께끼를
밝히는 것 말고는 다른 길이 없겠지요. 나는 절대로 믿어요. 내 믿
음은 흔들리지 않아요.』

나는 뤼시의 답장을 읽으면서 눈물이 핑 돌았다. 세상에 그 어떤 믿
음이 있어 뤼시의 마음만 하겠으며, 지상의 그 어떤 시인이 이들 부부
의 절절한 사랑과 믿음을 표현 할 수 있을까?
담장을 두 겹 두른 돌감옥에 갇혔으며, 낮에는 간수가 감시하고 밤

에는 발목에 족쇄를 채웠고, 4년 넘게 적도의 무더위에 방치된 한 인간의 영혼을 구원하고 목숨을 지켜낸 원동력은 그이 아내 뤼시의 사랑 때문이었다고 나는 단언한다. 이렇듯 절망적인 상황에서 병들어 죽거나 자살하는 것 외에는 다른 길이 없는 듯해 보이던 이 사건은 드레퓌스와 특별한 인연도 없는 사람에 의해 다시 세간의 이목을 끌었다.

조르주 피카르 중령이었다.

그는 드레퓌스 재판이 끝나고 다음해인 1895년 7월에 참모본부 정보부장에 취임했다. 피카르 중령은 처음에는 드레퓌스에게 별다른 관심도 없었을 뿐더러 군사법원의 판결을 의심하지도 않았다.

그러던 그가 1896년 3월 우연히 다른 스파이 사건 관련 문서를 조사하다가 드레퓌스 사건의 '명세서'와 같은 필체를 본 것이다. 치밀하게 조사한 결과 명세서 글씨는 보병연대 소속의 '페르디낭 에스테라지' 소령임을 밝혀냈다. 더불어 합참본부와 군사법원이 소송절차를 위반하고 배심원에게 미확인 거짓 정보를 제공했다는 사실도 파악했다. 무고한 장교를 반역자로 몰았다는 확신을 얻은 피카르 중령은 참모본부와 국방부 장관에게 보고했다.

그러나 장관도 한통속이었고, 참모본부의 고위 장성들도 더 더욱 자기들의 잘못을 인정하려 하지 않았다. 그들의 답변은 새로 드러난 반역자를 조용히 처리하되 드레퓌스 사건은 들추지 말라는 지시였다.

비슷한 시기에 드레퓌스의 형 '마티외'도 동생의 이름을 세상에 불러내기 위해 할 수 있는 모든 일을 하고 있었다. 마티외의 노력의 결실은 반유대주의를 극렬하게 선동했던 신문『르 마탱』이 대형 폭탄을 터뜨렸다. 반역주의자의 움직일 수 없는 증거라고 공개한 것이 허위 감정서를 썼던 필적 전문가에게 돈을 주고 입수한 명세서 복사본이었다.

현역 장교에게 반역죄를 선고한 증거가 고작 필체의 유사성이었다는 말인가! 프랑스 지식인과 시민들은 경악했다. 마티외는 에스테라지를 반역죄로 고발했다. 동생 드레퓌스가 체포당한 지 3년이 지난 1897년 11월이었다.

하지만 군사법원은 에스테라지에게 무죄를 선고했다. 에스테라지는 군중의 환영을 받으며 법정을 나왔고, 피카로 중령은 기밀누설죄로 체포되었다. 얼마 후 피카로 중령은 아프리카 튀니지로 쫓겨났다. 반유대주의 신문들은 환호성을 질렀다. 드레퓌스 가족은 다시 절망에 빠졌다.

그러나 여기서 대 반전이 일어난다. 작가 '에밀 졸라'가 등판한 것이다. 에스테라지에 대한 무죄선고가 나오고 이틀이 지난 후 대통령에게 보내는 공개서한을 발표했다. 그 유명한 『나는 고발한다』였다.
이틀을 꼬박 세우며 쓴 글에서 졸라는 에스테라지를 진범으로 볼 수밖에 없는 이유를 하나하나 밝히고, 참모본부의 장군들과 세 명의 필적 감정가, 국방부, 드레퓌스에게 **유죄**를 선고한 첫 번째 군사재판과 에스테라지에게 **무죄**를 선고한 두 번째 군사재판을 호되게 꾸짖은 후 다음과 같이 선언했다.

『나는 최후의 승리를 추호도 의심하지 않습니다. 더욱 강한 확신으로 거듭 말씀드립니다. *진실(眞實)이 전진(前進)하고 있으며*, 아무것도 그 발걸음을 멈추게 하지 못할 것입니다. 진실이 땅속에 묻히면 조금씩 자라나 엄청난 폭발력을 획득하며, 마침내 그것이 터지는 날 세상 모든 것을 날려버릴 것입니다. 오늘 나의 행위(行爲)는 *진실(眞實)과 정의(正義)의 폭발(爆發)*을 앞당기기 위한 혁명적 수단일 뿐입니다. 나의 불타는 항의는 영혼의 외침입니다. 부디 나를 중죄 재판소(重罪裁判所)로 소환해 푸른 하늘 아래에서 조사하기를 바랍니다. 기다리겠습니다.』

졸라의 나는 '고발한다' 선언을 보고 『톰 소여의 모험』, 『허클베리핀의 모험』등으로 우리에게 잘 알려진 미국의 소설가 '마크 트웨인'도 〈뉴욕 헤럴드〉에 졸라를 지지하는 기고문을 싣기도 했다. 이처럼 드레퓌스 사건은 미국과 유럽의 지식인들이 열렬한 성원을 보내는 국제적인 이슈로 떠올랐지만 프랑스 국내의 분위기는 여전히 반대로 흘렀다.

반대파들은 폭동을 일으켰으며, 졸라를 죽여라! 유대인을 죽이자! 군대만세! 같은 구호를 외치며 유대인을 폭행하고 유대인 상점을 부쉈으며, 심지어 졸라의 집에 돌을 던지기도 했다. 이러한 상황속에서 국방부는 피카르 중령을 감금하고 퇴역 명령을 내렸다. 졸라는 영국으로 망명했다.(이듬해 프랑스로 귀국함)

이렇게 잊혀져가던 사건은 아무도 내다보지 못한 사건으로 또 한 번

반전을 맞았다. 1898년 여름이었다. 피카르 중령을 감옥에 보내려 에스테라제와 짜고 문서를 날조한 **앙리 중령이 진상이 탈로 날까 두려워 자살**을 한 것이다. 그러자 에스테라제는 영국으로 도망을 갔고, 그곳에서 영국신문 『더 옵저버』기자와 인터뷰에서 자기는 이중스파이로 독일의 기밀을 캐내려고 독일 무관 슈바르츠코펜에게 접근했다고 말했다. 더 나아가 상부의 지시에 따라 자기가 문제의 '명세서'를 작성했다고 실토했다. 국방부와 참모본부 장군들은 할 말을 잃었고, 파리의 신문들은 일제히 참모본부를 비난했다. 내각은 드레퓌스 재심을 의결했고, 재심 반대파들도 폭력 행사를 멈췄다.

1899년 6월 드레퓌스는 4년 만에 악마섬을 떠나 프랑스 서부도시 렌의 군교도소로 이감되었고 가족과 변호사를 만났다. 때를 맞춰 졸라도 영국에서 돌아왔고 피카르 중령도 풀려났다. 렌 군사법원이 심리를 시작했다.

모두가 무죄를 기대했다. 그러나 참모본부와 군 수뇌부들은 1894년 군사재판 때와 똑 같은 거짓 증언을 했다. 드레퓌스 변호인 중 한 명인 라보리 변호사는 법원으로 가는 도중 총기 테러를 당하기도 했다. 목숨은 건졌지만 재판정에는 갈 수 없었다.

1899년 9월 9일, 렌 군사법원은 놀랍게도 1894년과 똑 같은 판결을 내렸다. 재판관들은 모든 사실을 무시하고 5대 2로 유죄를 선고했다. 드레퓌스가 외국 첩보원과 내통해 명세서의 자료를 넘겨줌으로써 프랑스에 대한 적대행위 또는 전쟁을 유발하게 했다는 취지였다. 다만 정상을 참작해 형량을 10년으로 줄여줬다. 반(反)드레퓌스 진영조차 당혹감을 표시할 정도였다.

여기서 졸라는 『로로르』지에 다음과 같은 글을 발표했다.

> 『훗날 렌의 재판에 관한 상세한 기록이 세상에 공개되면 인간의 파렴치함을 가장 잘 보여주는 최악의 걸작으로 손색이 없을 것이다. 무지, 어리석음, 광기, 잔인함, 거짓말, 범죄행위 등의 모든 비행이 너무도 뻔뻔하게 저질러진 터라 다음 세대들이 수치심으로 전율하게 될 것이다. 그것은 전 인류로 하여금 얼굴을 붉히게 할, 우리의 비열함에 대한 고백록인 셈이다.』

유럽과 아메리카의 프랑스 대사관 앞에는 이 재판에 항의하는 사람들이 규탄 집회를 열었고, 언론들도 드레퓌스가 아니고 프랑스가 범죄자라는 사설을 실으며 압박했다. 결국 프랑스 대통령은 1899년 9월 19일 드레퓌스를 특별 사면하게 된다. 에밀 졸라는 마지막으로 이렇게 말했다. "그들은 지저분하기 짝이 없는 방법으로 정직한 사람과 도둑놈에게 똑같이 특별사면을 준 것이다."라고.

법리적으로 보면 사면(赦免)을 받아들이려면 죄(罪)를 인정해야 앞뒤가 맞다. 그런데 드레퓌스는 결백을 주장하면서도 사면을 받아 들였다. 그래서 그동안 진실과 정의를 위해 싸워온 많은 사람들을 실망 시켰다. 하지만 벌써 5년이라는 시간동안 감옥(監獄)에 있었던 드레퓌스는 무죄판결(無罪判決)을 받을 때 까지 감옥(監獄)에 남아 있을 수 없었다. 드레퓌스는 군사재판(軍事裁判)의 결과를 낙관하기 어렵다고 판단해 제안을 받아들였다.

그 후 드레퓌스는 1903년 재심(再審)을 청구(請求)하였고 1906년 대법원(大法院)은 최종 무죄를 선고하면서 지위도 복권(復權)됐다. 참모본부가 공개할 경우 독일과 전쟁을 해야 한다고 주장했던 기밀문서(機密文書) 따위는 애초에 존재하지도 않았다. 조작된 증거와 반유대주의에 의해 간첩으로 몰려 종신형을 선고받은 드레퓌스 사건은 진실을 감추려고 날조한 가짜 증거들만 역사의 뒤안길에 쓰레기로 남았을 뿐이었다.

19세기 막바지에 프랑스에서 벌어진 사건이 왜 지금도 사람의 마음을 끌까? 작가는 드레퓌스 사건의 의미를 다음과 같이 설명했다.

1. 드레퓌스 가족은 서로 믿고 사랑했다. 그 가족의 사랑과 믿음으로 참혹한 불운과 시련을 이겨냈다.

2. 진실과 정의를 위해 두려워하지 않고 싸운 사람들 있었다. 그들은 드레퓌스 개인(個人)의 생명이나 자기들의 이익(利益)이 아니라 민주주의(民主主義)와 사회 진보를 위해 싸웠다. 올곧은 양심과 참다운 용기를 보여준 피카르 중령, 지성과 열정의 화신 졸라, 끝까지 책임을 다한 클레망소 총리, 무엇보다 언론의 선동과 반유대주의자의 집단 광

란(狂亂)을 이성의 힘으로 이겨낸 시민들, 재심 요구파를 지지하고 응원하고 연대한 세계의 지식인들, 그들은 모두 인간이 어리석고 때로 기괴하지만 지적 재능과 선한 본성을 지닌 존재임을 증명했다.

3. 문민우위(文民優位) 전통의 확립이다. 프랑스 육군 참모본부와 국방부 장군들은 군부(장교) 집단의 이익과 위신을 지키는 것이 곧 국가 안보라고 생각했다. 군부가 자신들의 이익을 국가의 이익이라고 착각하는 속에서 이러한 문제가 생겨났다. 드레퓌스 사건은 국민이 선출한 국가 원수의 말을 잘 따라야 하는 문민우위의 전통을 이어가는 시발점이 되었다.

4. 지식인들의 힘이다. 에밀 졸라의 글은 참다운 지식인의 모습을 보여줬다. 불합리한 사회제도에 맞서 사회를 개혁하는 일에 적극 동참하는 것이 프랑스 지식인 사회의 전통으로 뿌리내리게 되었다.

5. 드레퓌스 사건은 19세기 세계관과 20세기 세계관의 전환점이 되었다. 19세기의 낡은 세계관과 20세기의 문명사회를 이끌 세계관의 대립이다. 공화정 체제를 미워한 왕정 복구주의자들을 비롯하여, 자기가 국가안보라고 믿는 군부를 위해 시민의 자유와 권리는 얼마든지 무시할 수 있고 무시해야 한다고 확신한 군국주의자들, 있지도 않은 유태인 국제 조직을 들먹이던 인종차별주의 자들과 과격한 기독교도들, 사회혼란은 무조건 경제 번영을 해친다고 생각한 대기업가들, 이

들은 모두 19세기 낡은 세계관을 대변하는 사람들이다.

반면에 대혁명의 정신을 따르고 시민의 자유와 권리를 보호해야만 국가안보도 가치가 있으며 지킬 수 있다고 확신한 공화주의자들, 인종차별과 인권유린을 반대한 지식인들, 공정한 재판을 통하여 정의를 실현하려 했던 법률가들, 차별과 불평등을 거부하면서 자본가와 맞섰던 사회주의자와 노동조합원들은 20세기 문명사회를 이끈 세계관이다.

드레퓌스 사건은 프랑스를 싸움터로 삼아 이들 두 세력이 맞선 피할 수 없는 싸움이었다.

또한 작가는 이 책 말미에 드레퓌스 사건이 제1차 세계대전의 징후를 드러냈다는 점을 지적했다. 프랑스는 1870년 프로이센에 패전해 50억 프랑의 배상금을 물고 접경지 알자스-로렌을 빼앗겼다. 프리드리히 빌헬름은 군대를 이끌고 샹젤리에 거리를 행진했으며, 베르사유 궁전에서 독일제국 황제 대관식을 치렀다.

프랑스인들이 독일에 대한 복수심에 게거품을 물 수밖에 없었다. 게다가 프랑스는 아프리카 식민지를 두고 영국과도 대립하고 있었다. 대통령과 내각은 군부를 통제하지 못했다. 그 당시 유럽의 분위기는 프랑스뿐만 아니라 국민국가 모두가 그랬다. 이러한 저간의 사정으로 강력한 군사력을 보유한 국민국가들이 국경을 맞댄 채 서로를 향해 으르렁 거리다가 작은 불씨 하나에 전면전이 터졌고, 그것이 1914년 여름에 시작된 제1차 세계대전이었다.

'거꾸로 읽는 세계사'는 스물여덟 살 청년 지식인이 구로공단 근처의 '벌집'자취방에서 밤새 볼펜으로 이 책의 초판 원고를 썼다고 했다.

  작가는 드레퓌스 사건의 의미를 "민주주의가 대세가 되는 100년임을 예고한 사건이며, 그것을 연 사건이 드레퓌스 사건이다. 여기에는 인종주의, 팔레스타인 문제와도 연관되어 있으며, 제1차 세계대전과도 연결되어서 군국주의가 20세기를 비극(悲劇)으로 물들게 했던 거의 모든 사건의 전조증상(前兆症狀)이 드레퓌스 사건에 포함되어 있다."고 말했다.

  또한 모든 것을 다 이겨내도 무고한 한 장교의 결백이 확인된 이 사건을 통해서 프랑스 사회의 문민우위(文民優位) 확립의 전통이 자리 잡았으며, 20세기는 레거시 미디어(신문, 방송, 잡지)를 필두로 언론 지식인 집단이 사회의 변화를 주도하게 될 것을 예고한 사건이라고 했다. 물론 오늘날에는 이 레거시 미디어도 끝물에 이르렀다고 나는 본다. 인터넷 혁명을 시작으로 SNS, 유튜브가 레거시 미디어를 이미 추월했으며 이들이 정보화 시대의 메인으로 자리 잡고 있다.

  35년 전 이 땅의 정치적 환경은 척박했다. 학원가에는 최루탄이 난무했고 거리에는 군사독재에 저항하는 시민들과 젊은이들로 넘쳐났다. 나라 밖에서는 냉전의 막바지에서 동,서 양 진영이 대립하고 있었다. 이러한 전환기의 시대에 스물여덟 살의 청년이 20세기의 결정적인 장면 열한 가지 큰 사건을 엮어 낸다는 것은 대단한 안목이고 놀라운 스토리텔링 능력의 소유자라고 생각했다.

세계사의 중요한 전환의 흐름을 20대 청년이 이렇게 구성하기란 결코 쉽지 않다. 100만부 이상의 책들이 시민들의 서재에, 학교의 도서관에 꽂혀있는 데는 다 이유가 있다.

초판 기준으로 오래된 책이라 나머지 10개의 챕터는 대부분 통독한 내용들이고 다 알고 있는 역사적 사건이기에, 우선 드레퓌스 사건의 역사적 곡절을 재음미(吟味) 하면서 읽었고, '거꾸로 읽는 세계사' 새 책의 나머지 챕터 또한 역사의 시간을 체감하는 좋은 만남이었다.

스무 살 반야심경에 미치다

저자 김용옥

종교(宗敎), 철학(哲學), 사상(思想), 이념(理念) 등 차원과 장르는 다르지만 어떤 형태로든 우리의 삶에서 접할 수밖에 없는 현실이고, 살아가면서 한번쯤은 궁금 점을 가지는 문제이다. 그 중에서도 유교의 공자, 불교의 부처, 도교의 노자와 장자, 기독교의 예수, 서양철학의 소크라테스, 플라톤 등 이들은 모두 시대와 분야는 다르지만 모든 인류의 스승이고 성인이라고 할 수 있다. 이러한 성인들의 말씀과 가르침을 몸소 부딪치고 연구해서 깨달음을 얻은 도올은 다양한 저작을 통해 우리들이 지적 소양을 넓히는데 많은 도움을 주고 있다.

특히 이 책의 저자 도올은 그동안 90권에 이르는 방대한 저술을 하였고, 유학자(儒學者)이면서 신학자(神學者)이고, 서양철학(西洋哲學)과 동양철학(東洋哲學), 한의학(韓醫學)에도 정통한 대사상가(大思想家)이다. 다루는 언어 또한 영어, 중국어, 일어, 라틴어 등에도 통달한 우리 시대의 진정한 지성인(知性人)이요 선각자(先覺者)라 할 수 있겠다. 이러한 도올의 방대한 지적(知的) 여정(旅程)을 우리가 다 따라갈 수는 없지만, 우리 앞에 놓인 삶의 과제를 풀어 감에 있어서, 사물(事物)이나 현상(現像)의 겉면이 아닌 본질과 뿌리를 짚을 수 있는 통찰(洞察)

을 그의 책 속에서 만날 수 있다면 우리는 그가 주는 영혼의 맑은 오르가즘을 마다할 이유가 없다고 생각한다.

'스무살 반야심경에 미치다'는 불교의 많은 경전(輕典) 중 반야심경 260자를 중심으로, **1장~2장**에서는 도올 자신의 반야심경을 처음 만난 인연(因緣)과 한국불교의 흐름(서산대사 ~ 경허스님, 성철스님에 이르기까지)을 설명하고, 해탈(解脫)을 이룬 선각자(先覺者)들의 일화(逸話)와 조선불교와 인도불교, 중국불교, 일본불교를 비교 기술했다. **3장**에서는 불교의 근본교리(根本敎理)와 근원적 지향성, 그리고 싯달타의 제자들에서 출발한 불교가 **보살중심의 대승불교(大乘佛敎)로 변화되는 과정**을. 4장에서는 '**반야바라밀다심경(반야심경)**'의 주해(註解)를 서술했다. 불교의 교리(敎理)에 관해서 숱한 법설(法說)이 난무하지만 작가(作家)가 이 책에서 가장 힘주고 강조한 부분은, **3장**에서 이야기하는 **보살중심의 대승불교(大乘佛敎)**에 관한 것이라 생각된다.

반야심경의 원제는 '마하반야바라밀다심경(摩訶般若波羅密多心經)'으로, 마하⇒크다, 반야⇒지혜, 깨달음의 뜻이며, 바라밀다⇒극치, 완성을 뜻하고, 심경⇒핵심으로 해석 된다. 반야심경은 깨달음(열반)의 세계로 나아가는 대승불교(大乘佛敎)의 핵심을 담은 경전으로 해석되는 바, 우리에게 널리 알려진 금강경(金剛經)과 반야심경(般若心經)이 같은 지혜(智慧)를 말하고 있지만, 시기적으로 보면 금강경이 앞선 경전이다. 반야심경은 금강경(AD50년경)보다 2~300백년 후에 형성된 것으로 보고 있다. 원래는 한권의 책이 아니라 금강경을 포함해서 반야의 사상을 담은 경전 전체를 가리키는 말인데, 반야심경은 방대한 반야경(약600부)의 핵심을 260자에 담은 논리적이고 철학적인 주문으로 이루어진 경전이다. **큰 지혜의 언덕, 열반(깨달음)의 경지로 가는 핵심을 담은 경전이 반야심경이라는 것이다.**

이 책의 핵심인 대승불교의 교리는 3장에서 시작된다. 작가는 불교의 교리를 특징짓는 세 개의 인장과도 같은 삼법인(三法印) 또는 사법인(四法印)을 우선 설명한다.

① 제행무상(諸行無常), ② 일체개고(一切皆苦), ③ 제법무아(諸法無我), ④ 열반적정(涅槃寂靜)

①의 제행의 행(行)은 우리말로는 간다는 뜻이지만, 원어인 삼스카라는 '드러나는 것', '만들어진 것'을 의미하며 '제행(諸行)'은 **나의 인식 세계에 드러나는 모든 현상(phenomena)을 의미**한다고 설명한다. 그러니까 우리가 인식하는 모든 사물, 사건 등 그 모든 것은 항상됨이 없다는 뜻이며, 찰나찰나 변하고 있다는 뜻으로 설명하고 있다. 또한 작가는 "싯달타가 보리수 밑에서 제일 먼저 깨달은 진리는 '연기'라는 것인데 '연(緣)'이라는 것은 원인의 뜻이고, '기(起)'라는 것은 연으로 해서 '일어나는' 결과의 뜻이다" 라고 부연 설명 해준다. 결과적으로 어떠한 사물도 그것 자체로는 단절적으로 존재하는 것은 없으며, 반드

시 원인이 있으며 그 원인의 변화가 오면 결과는 반드시 변하기 마련이다는 것이다.

②의 일체개고(一切皆苦)는 '일체(一切)'가 다 '고(苦)'라는 뜻인데, 문헌(아비달마)에서는 '핍뇌(逼惱)'라고 번역했으며, 핍박하여 고뇌하게 만든다는 뜻으로 작가는 설명한다. 또한 작가는 '일체가 고통이다' 라는 의미를 문명사적 맥락에서 찾기도 하는데, 고대 인도의 각박한 풍토와 기후, 척박한 농업조건, 복잡다단한 정치사의 분규, 기아(飢餓)로 인해 매년 대규모의 사망자가 발생하는 문명 속에서, 인간 존재의 덧없음을 보편적 명제로 인식하는 민중들로서는 일체가 고라는 것, 산다는 것이 고통스럽다는 인식이 깔려있다고 분석했다.
또한 일체개고와 관련한 문명의 테마를 설명하면서 바울의 초기 기독교 사상인 인의(認義) 사상을 비교하기도 했다.『우리문명⇒생(生), 유대문명⇒죄(罪), 인도문명⇒고(苦)』

③ 제법무아(諸法無我)는 '제법'이라는 말 속에 '모든'의 뜻을 가지는 '제'와 '법(法)'이라는 말이 주어로 등장하지만 여기서 '법'의 원어는 **다르마(dharma)**이다. 다르마는 법칙, 정의, 규범의 뜻도 있고, 덕, 속성, 원인의 뜻을 가리킬 때로 있는데 번역가들이 중국고전 중 법가에서 쓰이는 '법'이라는 개념을 선택했지만 법(法)보다는 도(道)라고 했어야 옳을 것 같다고 작가는 말한다. 존재하는 모든 물건(사물, 사태, 사건)은 무아(無我)다. 즉 **아(我)가 없고 모든 사물은 실체가 없다.** 작

가는 부연해서 아(我)의 원어인 산스크리트어의 아트먼(atman)과 서양철학 언어인 실체(Substance)를 설명해주기도 했다.

④ 열반적정(涅槃寂靜)은 제법무아(諸法無我) 명제(命題)와 한 쌍이 되는 동전의 양면을 이루는 한 측면과도 같은 것으로, 제행무상과 일체개고가 한 쌍이라면 제법무아와 열반적정은 또다시 한 쌍이 된다고 했다. 제법(諸法)이 무아(無我)라는 것을 깨닫게 되면, 열반(涅槃)에 들게 되어 고요하고 편안하게 살게 된다는 뜻이다.

여기서 작가는 중요한 설명을 하나 해준다. 불교계에서 사람이 죽으면 '열반에 든다(입적, 입멸)'고 하는데, 이런 해석은 엉터리라고 했다. 사람들은 흔히 '열반(涅槃)'을 죽음과 연결시키고 있지만(죽으면 누구나 적정(적막하고 고요하다)해 지는건 맞지만), 불교는 '죽음의 종교가 아니라 삶의 종교(Religion of Life)'이다 고 했다. 다시 말해 **열반은 죽음의 상태가 아니라 삶의 상태, 즉 번뇌와 불길이 다 사라지고 고요한 상태**를 의미하며, 제법이 무아인 것처럼 깊게, 투철하게, 확철(廓撤)하게 깨달은 사람은 열반의 상태에 들어가서 고요한 삶을 살게 된다는 것이다.

작가는 결론적으로 **불교의 근본 교리에 관한 삼법인 또는 사법인의** 정리를 다음과 같이 했다.

- 움직이는 모든 현상은 항상됨이 없다.

  (인과에 의해 끊임없이 변한다)

- 모든 것이 고(苦)다.(아~고통스럽다)

- 모든 다르마는 아(我)가 없다, 주체가 없다.

  (자기 동일성의 지속이 없다)

- 번뇌의 불길을 끄자.

  (그러면 고요하고 편안한 삶을 누리게 될 것이다)

그러므로 불교에 관한 모든 명제는 이 4가지 구라를 벗어나지 않는다!

이어서 이 책의 저자 도올은 **불교의 중요한 수행 덕목인 삼학과 사성제**에 대한 설명을 계속한다. 삼학은 근본불교시대(싯달타가 활약하던 가장 근원적인 시기)에, 싯달타를 따르는 제자들이 부처의 이상적인 가치를 구현하기 위하여, 정진하는데 필연적으로 지켜야 했던 세 가지 측면의 수행덕목을 말하는 것으로 **계(械), 정(定), 혜(慧)**가 있으며, 싯달타가 깨달음을 얻은 후, 그 깨달음을 쉽게 대중에게 전하기 위해 설파했다고 하는 **사성제(四聖諦)**도 알아야 한다고 했다. 사성제는 싯달타가 대각 후 녹야원에서 4명의 비구를 향해 행한 최초의 설법이었으며 불교의 근본교설을 이루는 교리이다.

사성제(고제, 집제, 멸제, 도제) 중에서, 4번째의 도제(道諦)는 초기 (원시) 불교시대에 수행자들의 생활규칙 같은 것이었는데, 그것을 **팔 정도(八正道)**라 불렀다. 팔정도는 정견, 정사유, 정어, 정업, 정명, 정 정진, 정념, 정정(正定, 바른 집중)을 말하는바, 아라한(훌륭한 성자)이 되기 위해서는 반드시 지켜야 하는 도덕적 수양이었다 한다. 작가는 팔정도를 다시 세분화 했는데, 정어, 정업, 정명의 3도는 **'계학'**에 속 하는 것으로, 정념, 정정의 2도는 **'정학'**에 속하는 것으로, 정견, 정사 유의 2도는 **'혜학'**에 속하는 것으로 분류했으며. 정정진(正精進)은 계, 정, 혜 삼자에 공통으로 적용되는 미덕으로 정리했다.

또한 작가는 위에서 말한 **삼학(계, 정, 혜)**은 싯달타의 삶의 과정을 요약한 것이라고 설명했다. 싯달타가 출가하여 보리수 밑에 앉기까지 그의 삶을 지배한 것은 계(械)이며, 보리수 밑에서 선정에 들어간 것을 정(定)이라 했으며, 그리고 정을 통하여 아뇩다라삼먁삼보리(부처님의 완전한 깨달음)를 증득했다고 했다. 더불어 작가 도올은 스님이 되려 고 하면 계, 정, 혜의 삼학을 반드시 지켜야 하며, 선불교라는 것이 따 로 독립할 수가 없는 것이라 말한다. 계, 정, 혜의 정(定)이 곧 선이며, 이 '선정을 철저히 행하는 사람들이 남겨놓은 삶의 일화 들이 '화두(話 頭)'일 뿐이다' 는 것이다. "득도라는 것은 오직 자기 삶의 느낌에서 나오는 것이고, 그 느낌의 심화(深化)는 '혜'의 공부에서 생기는 것이 지 간화(看話)에서 생겨나는 것이 아니다." 다시 말해 '삼학에 이미 선 종과 교종이 다 들어있다.' 대장경에 다 들어있다고 했다.

"에이 씨발 뭐가 그렇게 복잡해! 번뇌를 버리고 잘 살면 되는 거 아냐? 한마디로 하자구! 한마디로!"

반야경의 성립과 월지국, 쿠산제국, 불상의 탄생, 반야경전의 확대와 축약 등 살짝 진땀이 날 때쯤 작가도 뭔가 독자들의 낌새를 눈치챘는지 화제를 대승불교의 출발인 반야사상과 스투파에 대한 비교적 쉽고 재미있는 장면으로 넘어갔다. 쉽고 재미있는 장면이라 했지만 이 책의 핵심은 여기 후반부에 있다고 생각된다.

보살중심의 대승불교로 변화되는 과정은 이 책의 후반부에 등장한다. 중국에 전해진 인도의 불교는 대승불교인데 이 대승불교와 불상, 보살, 반야가 함께 얽혀있는 개념이다. 대승불교의 가장 큰 특징이 **불상의 존재와 보살의 출현**이라고 볼 수 있는데, 보살은 인도말 보디사트바(Bodhisattva)를 음역한 보리살타(菩提薩埵)의 준말이며, 보리에도 지혜, 깨달음의 뜻이 있기 때문에 보리살타는 보리를 구현한 존재, 보리를 향한 존재라 할 수 있다고 했다.

싯다르타를 따르던 사람들이 출가해서 계를 받은 이들이 비구들이었다면, 비구가 아니면서도 부처를 따르는 집단이 새로 생겨났는데, 그들이 바로 보리살타, 즉 보살이었다.

보살의 출현은 인도의 역사와 관련이 있다고 한다. 인도의 거의 대부분을 통합했던 아쇼카왕(BC268~BC232)이 정복전쟁을 멈추고 불교를 장려했는데, 그 때 스투파(Stupa)라고 하는 부처님을 상징하는 탑을 인도 전역에 약 8만 4천개를 만들었다. 여기에 화장한 부처님의 사리를 조금씩 분배해서 넣었다고 하니까 부처님에 대한 소문을 듣고 조금이라도 부처님을 가깝게 느끼고 싶은 사람들이 모여들기 시작하였는데, 스투파는 벽돌로 만든 둥근 산 모양이었지만 자연스럽게 사람들이 이 스투파의 주변을 돌면서 기원을 비는 문화가 생겼으며 이 사람들이 보리살타 보살이었다.

실제 그 당시 부처님스투파 탑돌이 문화는 폭발적 인기를 끌었다고 했다. 싯달타라는 대각자가 있었다는 소문은 들었어도, 그의 열반 후에는 그의 설법을 들을 수도 없었고, 그의 집단에 행사에 참여할 수 있는 루트가 전혀 개방되어 있지 않았으며, 기원정사 류의 정사나 비하라 같은 곳은 성문·독각의 수행처로서 고립되고 격절되어 있었기 때문에, 일반 대중들은 부처님의 향기를 맡을 수 있는 길이 없었기 때문이었다. 이렇듯 스투파는 승가집단 외에 생겨난 부처님의 향내가 나는 개방적 공간이었고, 누구든지 석가모니를 생각하고 석가모니를 본받고, 석가모니의 말씀을 실천하면 석가모니가 될 수 있다고 믿었다. 그러한 각서, 자각이 든 사람을 보리살타, 즉 보살이라고 부르기 시작했다.

하여, '보살은 비구보다 더 낮은 단계의 사람도 아니고, 스님을 섬겨야만 하는 공양주 보살도 아니다.'고 도올은 설명한다. 결국 보살의 출현은 비구 중심의 승방정사에서 탑 중심의 거대한 가람으로 불교의 중심이 이동하게 된 계기가 된 것으로 볼 수 있다. 싯다르타 당시의 초기불교와는 성격이 다른 보살들의 종교로 대승불교가 성립된 것이었다.

하지만 아무래도 보살들은 출가한 비구나 비구니들에 비해서 계율이 느슨할 수밖에 없었는데, 여기서 계율 대신에 지혜의 특별한 수행을 통해서 자각적인 바라밀다, 완성의 길을 요구하게 되었으며 보살은 반야를 바라밀다하는 사람들, 지혜를 자각해서 완성하는 사람들이라는 **대승불교의 바탕에서 만들어진 후대의 경전이 반야심경이다.**

스무살 홍안의 청년 도올을 미치도록 빠져들게 한 반야심경! 그 반야심경을 나도 일부 외우고 있다. 이십대 후반에 고향 근처의 자그마한 암자에 머문 적이 있었는데, 그 때 주지 스님이 적어준 반야심경을 새벽 예불시간에 스님 따라 낭송을 한 기억이 이 책을 읽으며 새롭게 되살아났다.

【관자재보살, 행심반야바라밀다시, 조견 오온개공, 도일체고액. 사리자! 색불이공, 공불이색, 색즉시공, 공즉시색, 수상행식, 역부역시.】

- 관자재보살께서 심원한 반야의 완성을 실천하실 때에 오온이 다 공이라는 것을 비추어 깨달으시고, 일체의 고액(苦厄)을 뛰어넘으셨다. 사리자여! 오온개공이라는 말이 과연 무엇이겠느냐? 색이

공에 다르지 않고, 공이 색에 다르지 않으니, 색이 곧 공이요, 공이 곧 색이다. 나머지 수. 상. 행. 식도 이와 같다는 뜻이다. -

'반야심경'의 첫머리는 관자재보살로 시작한다. 이것은 **반야심경 전체의 주어가 관세음보살이라는 뜻**이다. 부처님이 설한 설법이 아닌 후대에 등장한 보살의 말씀으로 지고의 경전이 성립했다는 뜻이다. 더군다나 관세음보살이 법을 설한 대상은 사리불이며, 사리자는 싯달타 당시의 성문제자이며, 부처님을 대신해 설법을 할 수 있을 정도로 지혜제일의 10대 제자였다.

이러한 지혜제일의 사리자가 반야심경에서 마치 어린 행자처럼 관세음보살로부터 지혜에 관한 말씀을 듣고 있다는 것, '보살이 성문을 가르친다! 이것이 바로 대승의 정신이다.'작가가 말하는 종교혁명, 반야혁명, 보살혁명의 주체세력임을 극명하게 보여주는 내용이라 생각된다.

대체적으로 반야심경 260자 중 '오온개공(五蘊皆空)도일체고액(度一切苦厄)'을 반야의 중요 핵심어, 공(空)을 핵심 키워드로 본다. 오온(五蘊)이란 나를 구성하는 다섯 가지의 집적태(의식세계)로써 초기불교의 핵심이론이다.

관자재보살이 나의 의식작용인 색(色), 수(受), 상(想), 행(行), 식(識)이 **모두 공(空)이라는 것을 깨닫**고, 일체의 고액(苦厄)을 뛰어 넘으셨으며, 색, 수, 상, 행, 식이 **모두 공(空)인 것을 알고 나면** 그 의식 체계의 집합체인 나 또한 공이라는 것을 인정해야 하며. 나라는 존재는 대겁(大劫)의 기간 중에 잠깐 보리(菩提)에 들어 왔다가 소멸해버리는 아무것도 아닌 존재, 고로 나는 공(空)이다. '나는 아무것도 아님을 자각해야 한다.'는 것이다.

오온이 공하다는 것을 비추어 보고 안다면 일체 고액을 건널 수 있고, 오온을 바로 비추어 볼 줄 아는 지혜가 반야의 지혜이며 공(空)이다는 것이다.

작가는 여기에서 공(空)에 관한 실체적 설명을 싯달타가 보리수 밑에서 깨달은 '연기(緣起)' 비유해서 예시했다. 연기(緣起)라는 것은 이 우주의 모든 사태는 그것을 가능케 하는 무수한 원인이 있으며, 그러한 관계망 속에서만 이벤트, 해프닝이 존재할 수 있고, 우리가 말하는 인연이라는 것도 인(因)은 주원인이고, 연(緣)은 그 주변에 묻어있는 수없는 보조 원인을 말한다. 이러한 인연이 사라지면 존재(사태)는 소리 없이 사라지고 만다. 그것이 공(空)이다. 그러므로 깨달음을 통해 본 이 세계는 생멸(生滅)이 없다. 더러움과 깨끗함, 늘어남과 줄어듦이 없다. 이 불생불멸의 세계에는 안(眼), 이(耳), 비(鼻), 설(舌), 신(身), 의(意), 색(色), 성(聲), 향(香), 미(味), 촉(觸), 법(法)도 없고, 눈에 보이는 안식계와 눈에 보이지 않는 의식계 모두가 없다. 뿐만 아니라 싯다르타가 깨달았다고 한 12연기의 무명을 요약한 고집멸도도 없다.

우주가 다 사라지고 인간의 의식도 다 사라지는 싯다르타의 깨달음조차도 없다고 선언함으로써 불교마저 부정하는 이 반야심경을 도울은 '공의 철학이 아니라 공마저도 부정하는 무의 철학' 이라고 말한다. 도올은 이것을 대승의 탄생, 새로운 종교운동의 탄생을 의미하는 것으로 설명했다.

이어지는 반야심경의 주해는 제9강 보리사바하까지 도올 특유의 깊이 있고 꼼꼼한 배경설명을 통해서 알기 쉽게 설명함으로써 일반 독자들의 접근성을 높여 주었다.

이 책에서 작가가 설명한 반야의 경지에 도달하기 위해서는 끊임없이 뭔가를 욕망하는 존재인 나를 부정하는 무아의 경지를 깨닫는 지혜가 필요하고, 보살이 이러한 반야에 의지하게 되면 마음에 걸림이 없고, 장애가 없고, 공포가 없게 된다고 했다.

그래서 전도된 몽상에서 벗어나 열반에 도달하고 무상의 정등각을 얻게 된다는 결론이고, 이 무상정등각이 바로 열반을 뜻한다는 것이다.

욕망의 불이 꺼진 니르바나(Nirvana), 열반 상태, 일체의 고를 제거할 수 있는 진실한 주문이 이 책 마지막에 나온다.

『보리 사바하! 깨달음이여! 영원하소서!』 이 주문은 반야의 핵심을 노래처럼 암송 할 수 있게 한 시적인 암호화 같은 것인데 우리에게 많이 익숙한 내용이다.

【아제 아제 바라아제 바라승아제 보리 사바하】

건너간 자여

건너간 자여!

피안에 건너간 자여!

피안에 완전히 건너간 자여!

깨달음이여! 평안하소서!

공간의 미래

저자 유현준

『전염병은 공간을 바꾸고, 공간은 사회를 바꾼다.』

건축학을 전공하고 대학에서 강의를 하는 저자가 '공간의 미래' 책 첫 페이지 〖여는 글〗에서 붙인 타이틀이다. 요약하면 코로나 전염병의 충격이 대단하긴 했지만 5천년 인류사를 살펴보면, 전염병은 그렇게 새로운 이야기가 아니다. 문명이 발생하려면 도시가 필요하고, 인구밀도가 높은 도시가 만들어 지려면 전염병의 문제가 해결되어야 한다. 최초의 문명은 메소포타미아와 이집트 같은 건조기후대에서 발생했으며, 건조기후는 전염병의 전파가 최소화될 수 있는 조건이었기 때문이다. **중세 시대가 끝나고 르네상스가 부상하게된 것은 흑사병이라는 전염병의 영향이 컸으며**, 흑사병이 유럽을 강타하는 과정에서 천년 동안 유럽을 지배했던 교회의 힘이 약해졌기 때문이다. 이처럼 전염병은 언제나 인류 역사에 영향을 미쳐 왔다. 그러니'전염병도 반복되는 역사의 과정 중 하나일 뿐이다.'는 것이다.

이 책 〈공간의 미래〉는 코로나가 가속화 시킨 주거나 주택의 변화에 따른 공간의 해체와 재구성, 나아가 공간으로 사회적 가치 창출을 하기 까지 총 11개의 챕터로 구성되어 있는데, 일상생활과 가장 밀접한 주거공간을 시작으로 학교, 공원, 종교시설, 직장, 상업시설 등 우리들 생활공간 전반에 걸쳐 변화를 촉구한다. 예컨대, 학교는 지금처럼 크게 만들지 말고 잘게 쪼개자. 물류는 지하로 보내고 지상은 공원을 만들자. 그 공원도 지역과 지역을 이어주는 선형 공원으로 만들자 등 구체적인 대안들을 제시했는데, 그 중에서 1장'마당 같은 발코니가 있는 아파트'와, 5장 '전염병은 도시를 해체 시킬까'글에서 특히 깊은 인상을 받았다.

〈마당 같은 발코니가 있는 아파트〉

우리가 당연하게 생각하는 삶의 형태 중 중산층 아파트의 방이 3개인 것은 1970년대 산업화와 함께 핵가족 시대가 열리면서 시작되었다. 70년대 이전에는 국민의 5%만 도시에 살았고, 지금은 91%가 도시에 살고 있다고 한다. 산술적으로 수십 년 동안 86%의 인구가 시골에서 도시로 이사한 것이다. 도시로 인구가 몰리면서 집이 많이 필요했고, 좁은 땅에 많은 집을 지을 수 있는 고층 주거인 아파트가 생겨났다. 또한 그 당시 인구 정책은 '둘만 낳아 잘 기르자' 였다. 이러한 시대적 변화를 거쳐서 부모와 두 자녀라는 '4인 가족'이 살아가는 아파트의 주거 환경이 세팅 된 것이었다.

이러한 아파트 및 발코니와 관련해서 저자가 어떤 대담 프로에서 우리나라 아파트 원형인 3-BAY(가운데 거실이 있고 양쪽에 방이 있는 평면구조)는 기본적으로 우리의 전통 가옥인 'ㄷ' 자 한옥에서 따왔다고 했다. 그러니까 **과거 주택의 마당이 아파트의 거실 실내공간으로**

바뀐 것이라는 것이다.

저자에 따르면 '자연의 변화가 없는 공간에서 사는 사람일수록 미디어의 의존도가 높아진다.'고 했다. 여기서 저자는 **공간의 개념을 '물리적 총량이 아닌 기억의 총합으로 봐야한다'**고 설명한다.

예컨대, 예전의 자그마한 한옥에 다섯 평 정도의 마당이 있는 곳에 살아도, 그기에 마당이 있음으로 인해 4계절이 바뀌고, 태양이 뜨고 지는 하늘을 1년 365일 봄으로 인해 다섯 평정도 마당의 공간에 열 가지 기억이 있으면 5 곱하기 10해서 50평처럼 느껴지는 것이라 했다.

하지만 우리나라 인구의 90% 이상이 살고 있다는 대부분 아파트, 그 중에서도 발코니 문제로 넘어가면 현실이 다르다. 발코니에 나가봤자 위에 윗집 발코니가 가리고 있다. 일명 '발코니 확장법'이라 하여 대부분 발코니를 실내공간으로 전용했기 때문이다.(우리나라 현재 법규에서는 실내면적으로 계산하지 않는 발코니의 폭은 1.5미터다)

아파트 공간이 이렇게 변한 것은 생활환경이 서구식으로 바뀌면서 서양의 침대문화와 소파, 식탁 등 실내 공간을 차지하는 가구와 각종 생활용품이 들어오면서 더 넓은 집이 필요해졌고, 그 해결 방안으로 **발코니를 실내공간으로 전용하면서 일반적인 형태로 된 것**이다.

여기서 저자는 아파트 발코니의 위치를 집집마다 다르게 배치함으로써 독립성 확보와 함께 자연의 변화까지 만끽할 수 있는, 하늘이 보이고, 비를 맞을 수 있고, 나무도 심을 수 있는 마당 같은 발코니를 제안 했다. 그런 발코니가 있으면 계절이 계속 바뀌면서 날씨도 바뀌고, 그 공간의 변화가 생김으로 인해 발코니를 마당으로 사용 할 수 있다는 것이다. 저자는 구체적 실행 방안으로 증축 또는 리모델링을 할 경우 기존의 발코니 확장으로 사라졌던 1.5미터 폭의 발코니를 복원하고, 그 앞으로 발코니를 1.5미터 내밀어 증축해서 총 3미터의 발코니를 만드는 것을 제안했다.

신축의 경우라면 더욱 적극적으로 디자인이 가능하다 했으며, 건축법규(건폐율, 용적률)의 개선도 같이 촉구했다. 이미 많은 나라에서도 마당 같은 발코니를 가진 다양한 형태의 아파트 주거 사례가 있으므로 우리나라도 포스트 코로나 시대의 중산층의 아파트는 마당 같은 발코니를 표준 모델로 생각해야 된다고 했다.

〈전염병은 도시를 해체 시킬까〉

작가의 말에 의하면 오늘날 인구 천만 명이 넘는 도시가 전 세계적으로 28개가 있다고 했다. 작가는 도시가 형성되려면 두 가지 조건이 만족되어야 하는데, '전염병이 없어야 하고 물이 풍부해야 한다. 전염병이 있으면 모여 살 수가 없고, 물이 없으면 사람이 살 수 없기 때문이다.' 고 했다.

따라서 도시가 만들어지기 좋은 조건은 건조한 기후대에 물이 풍부한 곳이며, 역사적으로 메소포타미아와 이집트는 그런 지리적 조건이 도시를 만들었고 사람들 간의 다양한 관계 형성과 함께 경쟁력 있는 문명을 발전시켜 왔다고 했다. 그렇게 시작된 도시는 도시 자체가 하나의 생명체인 것처럼 전염병과 싸우면서 규모를 키워 나갔고, 각종 도시 유지 시스템을 만들어 물을 공급하고 전염병을 막았기 때문이라는 것이다.

이러한 도시 발전의 예시로 고대 로마는 아퀴덕트(다리형태의 수로)를 이용한 상수도 시스템을 만들었고 그 때 로마의 인구는 백만 명이 넘었다고 했다. 하지만 최근의 코로나 사태를 겪으면서 가장 큰 피해를 입은 곳이 인구밀도가 높은 대도시였다.

그러면 앞으로 도시는 해체 될 것인가? 작가는 '해체되지 않는다'라고 답한다. 별다른 이유는 없지만 그냥 인류 역사를 보면 그렇다는 것이다. 5천 년이 넘는 인류 문명과 도시의 역사를 보면 전염병이 없었던 역사는 없었고, 가끔은 전염병의 심각성으로 도시가 사라지기도 했지만 인간은 다시 모였고, 도시의 규모는 계속 커져 왔다는 것이다. 지금도 전 세계 절반 이상이 도시에 살고 있는 것이 현실이다.

작가는 도시의 지속과 규모의 커짐에 대해 덴마크 건축가 『얀 겔』의 실험과, 『인구 2배, 경쟁력 2.15배』, 『시냅스 총량 증가의 법칙』, 『두 마리 토끼를 잡으려는 인간』을 예시로 들었다.

먼저 『얀 겔은 벤치를 가지고 재미난 실험을 했다.』고 했다. 꽃밭을 향해서 꽃을 볼 수 있는 벤치와 거리를 향해 배치되어 걸어 다니는 사람을 구경할 수 있는 벤치 중 어느 쪽 벤치에 더 많은 사람이 앉는지를 알아보는 실험이었는데, 결과는 사람 구경을 할 수 있는 벤치에 10배 더 많은 사람이 앉았다고 했다. 이 실험의 결과의 의미는 사람은 그냥 자연만 보는 것보다는 다른 사람에게 더 끌린다는 점을 알 수 있으며, 이는 인간이 다른 인간과 있을 때 안정감을 느끼는 사피엔스만의 본능 때문일 것으로 해석했다.

그런 성향 때문에 지금도 사람들은 매년 트렌드가 무엇인지 파악하려고 노력하고, 옷을 입을 때도 유행에 신경을 쓰고, 대박 난 영화는 봐야 한다고 생각하며, 이러한 본능은 도시 공간에서도 나타난다고 했다. 최근의 핫플레이스라고 하면 한 번은 가 봐야 할 것 같은 느낌이 들고, 다른 사람이 많이 모이는 곳에는 더 가보고 싶은 본능이 있다는 것이다. 이렇듯 더 큰 집단에 포함되려는 사람의 심리가 더 큰 도시로 사람이 모이게 만든다고 했다.

이러한 본능 이외에도 도시로 사람들이 모여들고 도시가 커지는 실질적인 이유를 제프리 웨스트의 저서 『스케일』을 예로 들기도 했다. 그 책에 따르면 인류의 많은 창의적 생각과 물건들은 모두 도시에서 생활하던 사람들에 의해서 발명되고 만들어졌다고 했다. 밀도가 높은 도시 공간에서는 주변에 사람들이 많기 때문에 다양한 상거래가 이루어지고 대화를 통해서 창의적인 생각들도 만들어지게 되며, 인구가 2배 늘어나면 특허 출원 건수가 2.15배로 뛴다고 했다. 인구의 규모가 커질수록 도시가 더욱 창의적으로 되어 간다는 뜻이다. 평균 임금, 전문 직업인 수도 2.15배가 늘어나고 반면에 에너지 절약적인 면에서는 절감이 된다고 했다.

선진 도시(미국, 일본, 독일)의 경우에 인구가 2배 늘어날 때 주유소는 1.85배만 늘어났다고 한다. 결과적으로 도시의 규모가 늘어나면 도시 인프라 초기 투자 비용은 7.5퍼센트 줄어들고 창의성은 7.5퍼센트 증가한다. 더 큰 도시가 될수록 경쟁력이 생긴다는 연구 결과다.

그런데 도시의 규모가 2배 커지면 부작용도 생기는 것이 문제다. 범죄율과 전염병도 2.15배 증가되는 것으로 나온다. 역사적으로 도시의 규모가 커질수록 전염병의 문제는 대두 되었고 전염병에 잘 대처하기 위해서 여러 가지 방법들을 개발했다. 전염병을 제어할 수 있는 도시 시스템을 만든 국가는 당대 최대 규모의 도시를 구축했고, 그 도시를 통해 시대를 선도했다.

예컨대, 기원전 7세기경 바빌론은 하수도를 건설했으며, 로마는 깨끗한 물 공급을 위해 아퀴닥트를 건축했고, 그 결과 도시 인구는 100만 명에 이르렀다고 했다. 파리는 1370년부터 하수도 공사를 시작해서 1855년 나폴레옹 3세 때 대규모 지하 하수도 시스템을 정비했다. 하수도 길이가 총 2,400㎞에 다다를 정도로 방대했으며, 위생 도시로 변모한 결과 인구가 모여들고 시장이 커지고 고밀화로 인한 경제 문화 도시로 발전하게 되었다고 했다.

또한 이러한 도시 유지 관리에 의학적인 발전도 한 몫 했다고 볼 수 있다. 18세기 말의 천연두 백신 개발(에드워드 제너), 루이 파스퇴르가 저온 살균법(1864)과 광견병, 닭, 콜레라 백신(1880년대)을 개발한 이후로 인류는 바이오테크놀러지를 통해서도 전염병에 대응할 수 있게 되었다. 그 이전에는 전염병에 걸리면 도시 외곽으로 격리시키는 방법밖에 없었지만, 병의 원인을 파악한 다음에는 **병원이라는 건축 시**

설을 도시 안에 배치하고 도시의 인구를 유지하는 방식을 개발했다는 것이다.

작가는 '전염병과 도시의 진화는 코로나19가 발병한 21세기에도 그대로 적용되는 원리'다 라고 했으며, 현대의 거대 도시의 승패는 '전염병에 잘 대처해서 고밀한 대규모의 도시를 만들 수 있다면 그 도시를 가진 나라는 세계를 리드 할 것이다.' 라고 했다.

시냅스 총량 증가의 법칙에(두 신경 세포 사이나 신경 세포와 분비세포, 근육 세포 사이에서 전기적 신경 충격을 전달하는 부위, 이곳에서 한 신경 세포에 있는 충격이 다음 신경 세포에 전달된다. -백과사전-)관해서는 현재 세계에서 가장 밀도가 높은 뉴욕을 예로 들었다.

유럽의 도시에 비해 상대적으로 후발 주자인 뉴욕은 유럽의 선진 도시들 보다 더 높은 밀도를 가진 효율적인 도시 공간 구조를 가질 필요가 있었다. 운때가 맞았는지는 몰라도 뉴욕이 성장할 시기에 엘리베이터가 발명되었고, 철골구조, 철근콘크리트 등 건축 신기술을 이용해서 고층 빌딩을 지었다.

여타의 도시들이 7층 정도 높이의 건물로 구성되어 있을 때 뉴욕은 30층짜리 건물로 4배 이상 고밀화된 도시 공간을 만들었다. 밀도가 4배 이상이면 같은 시간에 만날 수 있는 숫자도 4배로 늘어난다.

이는 도시 경쟁력으로 이어졌고 미국이 세계를 리드 할 수 있었던 배경으로 자리 잡았다. 또한 뉴욕은 고밀화된 도시 공간뿐 아니라 전화기라는 통신망을 깔아서 사람 간 소통할 수 있는 관계의 시냅스를 획기적으로 늘렸다.

　그 후 백 년 가까이 세계의 신흥 도시는 뉴욕처럼 고층 건물을 짓고 전화 통신망을 구축하는데 열심이었다. 그러다가 1990년대 인터넷이라는 획기적인 기술이 개발되면서 도시의 시냅스는 대전환을 맞이했다. 인터넷 빅뱅을 통해 새로운 방식으로 가상의 공간을 만들고 그렇게 만들어진 인터넷 공간속에서 사람 간의 관계를 연결하는 방법을 찾았다.

　여기서 작가는 『현대의 도시는 오프라인 공간에서 만나는 시냅스의 총량과 온라인 공간에서 만나는 시냅스의 총량을 합쳐서 이해해야 한다.』고 했다. 서울은 오프라인 공간의 밀도 측면에서 보면 20세기 초반 뉴욕보다도 낮은 수준이지만 인터넷 공간을 포함시키는 순간 백 년 전 뉴욕을 압도한다고 했다. 이렇게 인류는 꾸준하게 양적, 질적으로 도시의 규모를 키우고 기술을 발전시키면서 사람들 간 관계의 시냅스를 늘려 나가는 것을 작가는 『시냅스 총량 증가의 법칙』이라 명명했다.

　이어서 혹자들의 예상 질문에도 답을 했다. "과거에는 오프라인 공간밖에 없었기 때문에 모여서 살아야 했지만, 텔레커뮤니케이션이 발달한 지금은 도시를 떠나서 전염병의 위험이 적은 시골에 살지 않겠는가?"라는 질문에 간단하게 '아니다'고 했다. 작가는 두 가지의 예를 들었다.

요약하면 첫째, 인간은 화상 통화가 된다고 하더라도 손을 잡는 테이트를 포기하지는 않을 것이고, 특히 '짝짓기에 대한 본능이 남아 있는 혈기왕성한 젊은이들은 대도시에 모일 것이다'고 했다. 둘째, 일자리 구성 때문에 대도시로 인구가 집중될 가능성을 설명했다.

업무의 디지털화가 가능한 일자리는 향후 인공지능이 발달할수록 인공지능으로 대체될 가능성이 높아지고, 따라서 향후 재택근무 가능한 일자리는 줄어들겠지만, 대신 인간이 인간에게 서비스하는 일자리가 살아남거나 늘어날 것으로 예상했다.

예컨대 간호, 미용, 아기 돌보기, 고급 레스토랑 서빙 같은 서비스업은 아직 로봇으로 대체되기 어렵기 때문에 사람이 많은 곳, 도시에 더 많은 일자리의 기회가 있다고 했다. 텔레커뮤니케이션 기술이 발달하고 자율 주행 자동차가 나오면 부자들은 교외로 나갈 수 있는 선택을 할 수 있지만, 일자리를 찾는 사람들은 오히려 더 도시로 모여들 것이다 했다.

최근까지 위세를 떨친 코로나19는 모여야 살 수 있었던 인간들의 사회를 반대로 모이면 위험한 사회로 만들었다. 지금껏 사피엔스는 예측 가능성과 피해 최소화에 많은 공을 들였고 일정 부분 잘 극복해 왔다고 생각한다.

하지만 지구 온난화와 환경오염이 계속되는 한 또 다른 전염병이 발병할 가능성은 언제라도 있다고 봐야 한다. 추측컨대 미래에도 기후 변화와 환경오염 이로 인한 건전한 생태계의 파괴로 전염병의 창궐은 인간이 모여 사는 곳곳에 기다리고 있을 것이다. 특히 밀도 높은 대도시에는 그들이 기생하기 좋은 곳이기 때문이다.

하지만 활력 넘치는 대도시를 유지하고 발전시키는 방법은 있다. 작가는 방법으로 '공통의 추억을 만들어 주는 공간이 필요하며 도시 속 공원이 그 역할을 담당해야 할 몫이다'고 했다. 인류 문명의 발전과 역사는 시공간 확장의 역사다. 하지만 우리나라를 대표하는 서울 기준으로 본다면 도심 속 녹지 공간은 외형적으로는 넓게 형성되어 있지만 접근성은 미흡하다. 작가는 뉴욕과 서울을 공원 지수를 예시로 들었다.

작가에 설명에 의하면 뉴욕과 서울은 다 같이 초고층 빌딩의 숲이지만 뉴욕은 공원과 공원 사이의 거리가 10㎞내외에 있으며, 내가 사는 곳에서 도보로 약 13분 소요되는 반면 서울은 공원과 공원 사이의 소요 시간이 1시간 이상으로 접근성이 떨어지고, 한참을 걸어도 아파트 담벼락만 나온다고 했다.

이렇듯 보행자 지수가 낮으니 접근성이 떨어지고, 공원 한번 가기위해서 자동차로 이동할 수밖에 없으니 시민들의 편안한 휴식 공간의 기능성은 상대적으로 떨어진다고 했다.

작가는 이 책의 말미의 『닫는 글』에서 '일반적으로 건축과 도시가 바뀌는 가장 큰 요소는 기후 변화와 전염병이다'라고 했다.

나폴레옹 3세가 파리에 지하 하수도 시스템을 구축해서 수인성 전염병에 강한 도시로 만들었고, 조선의 영조는 청계천 준설작업을 통해서 도시가 전염병에 맞설 수 있는 인프라 구조를 만들었으며, 그 덕분에 한양에는 19만 명의 인구가 안정적으로 유지되자 정조 때에 이르러 상업수요가 폭증했다는 역사적 사실을 언급했다.

청계천 준설이라는 도시 정비가 인구 밀도가 높으면서도 전염병에 강한 도시 공간을 만들었고, 새로운 도시 공간은 상업을 발달시켰으며, 상업의 발달은 조선후기 르네상스의 토대가 된 것이다. 농업 중심의 경제에서 누구나가 상업을 할 수 있는 시스템으로 국가 운영체계가 업그레이드된 것이다.

코로나는 전 세계 모든 국가와 사회에 엄청난 상처를 남겼다. 코로나를 겪으면서 우리가 느끼고 깨달은 것은 오프라인 세상에서 만들 수 있는 새로운 공간은 사람 간의 '만남의 밀도'가 높아지면서도 동시에 전염병에 강한 도시 공간 창출임을 배웠다. 코로나로 인해서 전 세계 모든 국가와 사회는 새로운 미래를 만들 출발선상에 다 같이 섰다. 더 이상 비전 없는 부동산 정책들과 세금 정책만으로 해결될 문제가 아니다.

작가의 말처럼 새로운 공간, 새로운 도시 인프라를 만들어야 한다. 『선형의 공원, 자율 주행 로봇 전용 지하 물류터널, 발코니가 있는 아파트, 규모는 작아지고 다양성은 많은 학교, 다양한 부도심, 특색 있는 지방도시가 만들어져야 한다.』는 작가의 외침은 큰 공감과 울림으로 다가왔다.

우리 편하게 말해요

저자 이금희

『사람은 누구나 자기 이야기를 하고 싶습니다. 하지만 귀 기울여주는 사람이 몇이나 될까요. 가족이나 친구도 늘 그러기는 어렵습니다. 이야기를 듣는 것은 관계의 시작이자 끝일지도 모릅니다. 무엇보다 잘 듣지 않고 말을 잘하기란 불가능합니다. **제대로 듣는 것은 말을 잘하는 것보다 더 앞서야 하는 일입니다.**』

아나운서 출신의 저자가 1장의 서두(序頭)에서 한 말이다. **말을 잘하기 위해서는 제대로 듣는 게 선행**되어야 하며, 상대에게 내 의견을 이해시키려면 **먼저 경청함으로서 상대의 마음을 얻는 게 중요**하다는 뜻이다. 우리 사회에서 말은 곧 권력이다. 경험칙상 큰 권력(權力)을 가진 사람일수록 말은 길어지고, 목소리는 크다. 직장이나 기관에서 군번이 딸리거나 나이가 어리면 자기 이야기를 할 기회는 없어지고, 하염없이 듣기만 해야 한다. 발언권(發言權)이 없다는 뜻이다.

미리 고백하자면 평소 내 자신의 말하기 수준은 중간쯤은 된다고 생각했다. 하지만 이 책을 읽으면서 내 자신의 말하기 스타일을 돌이켜보았더니 많은 부분에서 점수 미달이었다. 어떤 상황이 생겼을 때 차근차근한 논리 전개가 부족했고, 대화의 상대방과 눈높이에 맞춘 말하기도 미흡했으며, 특히 상대방의 말을 경청하기는 거의 낙제에 가까웠다.

사회적 성취도가 높아지고 직장에서 직급이 오르면 대개의 사람들은 어깨에 풍선이 부풀어 오르고, 나보다 나이가 어리거나 직급이 낮은 사람에게는 좀 그럴듯하게 말하고 싶어진다. 내가 아는 게 열 가지쯤이면 스물쯤 보이게 하고 싶고, 있어보이게 미사어구를 늘어놓고 싶어 한다. 인간의 심리가 그렇다.

『우리 편하게 말해요』이 책은 모두 4장으로 구성되어있다.

1장 『잘 듣는 것만으로도』는 제대로 된 말하기를 위해 무엇보다 **듣기가 우선**이라고 했으며, 2장 『말을 이해한다는 건 기적과도 같은 일』에선 **상대방의 마음을 여는 방법**에 대해서 소개했다. 3장 『때로 작은 구원이 되어』에서는 **스스로를 다독이는 말**에 대해서 이야기 한다. 4장 『말하기를 제대로 배운 적 없기에』편에서는 저자가 대학 강단에서 22년 동안 학생들에게 선보였던 **말하기를 위한 실전 연습법**을 소개해 주었다.

1장의 다양한 케이스 중 유독 공감 되는 주제는 『내비게이션을 끄세요』이었다. 잘 아는 길에서 켜놓은 내비게이션은 잔소리와 같다. 날마다 오가는 길에서는 내비게이션이 없어도 운전에 불편이 전혀 없기 때문이다. 하지만 모르는 길을 갈 때, 초행길에서 내비게이션의 길 안내는 절대적이다. 연료나 시간을 허비하지 않도록 도와주고, 목적지에 잘 도착할 수 있도록 안내해주기 때문이다. 여기서 저자는 내비게이션은 상대가 원할 때만 켜야 한다고 조언했다.

『초대받지 않은 조언을 하는 건 적을 만드는 지름길이다. 그런데 선배는, 상사는, 윗사람들은 초대한적 없는 후배에게, 부하에게, 자녀에게 자꾸만 찾아와서 조언한다. 물론 아껴서 그러는 것이다. 잘되기를 바라니까. 실수하거나 실패하지 않고 좀 더 빠른 길로 안전하게 가기를 바라니까. 하지만 켜지도 않은 내비게이션이 작동하면 그때부터는 '라떼타임'이 되는 법이다. "라떼는 말야."』

어떻게 극복해야 할까? 작가는 해결 방안으로 기다려주면 된다고 했다. 언제까지? 후배나, 아랫사람이 물어볼 때까지. 엄청난 후폭풍을 가져올 만한 실수나 실패가 아니라면 아랫사람이 또는 자녀가 더러는 눈물도 흘리고 때로는 한숨도 내쉬고, 그러다 스스로 깨닫고 성장할 때까지 말이다. 가장 좋은 부모는 코치기 아니라 응원단장이 되는 것이라 했다. 부모는 잘하면 잘한다고 환호해주고, 못하면 기죽지 말라고 응원의 구호를 외쳐주면 된다는 것이다. 후배도, 부하도, 아랫사람에게도 마찬가지로.

1장에서 또 하나 공감 가는 챕터는『부장님 증후군』이었다.
"오늘도 부장님 때문에 스트레스 받아요. 왜 한번 말하면 못 알아듣냐며 화를 내십니다. 제가 정말 무능할까요." 부장님들도 답답할 것이다. 직장의 업무가 날마다 새롭고, 때마다 색다른 게 아닌데 왜 부장님은 답답해하고 우리는 못 알아들어 속상할까?

이유는 한 가지. 부장님이 제일 중요한 것을 빠뜨렸기 때문이다. 핵심은 『누가 듣느냐. 누구에게 말을 하느냐.』이다. 저자는 **'말하기에서 제일 중요한 것은 청자이다. 화자가 아니다. 말하는 사람이 아니라 듣는 사람이 중요하다.'**고 했다. 『말하기란 내(화자)가 상대(청자·청중)에게 무엇(메시지)을 전달하여 이해시키는 것이다.』고. 전국의 부장님들이 놓친 것도 바로 이 부분이다.

다 같이 한국어로 말하는데 왜 물 흐르듯이 소통이 잘 안될까? 저자는 그 이유를 같은 업무에 관해 말(업무지시)을 한다 해도 **부장님과 직원이 가진 정보의 양과 질이 다르기 때문이라 했다.**

부장님이 부서장 회의, 다른 직원들의 보고를 통해 전체 업무100퍼센트를 알고 있다면 개별 직원은 자신이 담당하는 부분, 즉 일부만 알고 있을 터인데 기껏 해야 20~30퍼센트 정도만 아는 직원이 한 번에 알아듣기는 애시 당초 무리라는 것이다. 결과적으로 우리도 일상에서 부장님과 같은 실수를 저지르지 않으려면 지금 내가 하는 말을 듣는 사람이 누구인가를 먼저 생각해보고 '어떻게' 말을 해야 잘 알아들을지 진중한 고민과 배려가 필요하다는 생각이 들었다.

2장을 읽어가면서 평소 내가 생각한 부분과 꼭 맞아지는 내용을 만났다.

『가까워지는 데도 말이 큰 몫을 하지만 멀어지는 데도 말이 결정적 역할을 한다. 앞에서는 웃고 뒤에서는 거친 말을 하면 언젠가 나에게 돌아온다. 평판이라는 이름으로.』

저자는 평소 전화 통화를 할 때 상대방이 먼저 끊고 난 후 종료 버튼을 누른다고 했다. 용건이 끝났다고 툭 끊어버린다면 어쩐지 삭막할 것 같아서 통화 종료 후 상대가 끊을 때 까지 1초나 2초 정도 기다리는 편이라 했다.

어느 날 업무적인 통화를 한 후 평소 하던 대로 종료 버튼을 누르지 않고 기다리던 사이에 상대방 일행들끼리 대화하는 소리를 들었는데, 내용인즉슨 저자를 비하하고 비난하는 내용이 일일이 옮기기 민망할 정도로 함부로 말을 하더라는 것이었다. '만나서 일할 때는 그렇게 친절하더니 본모습은 그게 아니었구나.' 크게 실망한 저자는 통화 상대방과의 신뢰관계는 무너지고 1년이 지난 후 다른 핑계를 대며 다음 시즌에 합류하지 않았다했다.

없는 데선 임금님 욕도 한다는 말이 있지만 앞에서는 웃고 뒤에서는 뒷담화를 하며 상대방을 헐뜯고 비난하면 평판이라는 이름으로 나에게 돌아온다는 것이다. 이와 유사한 말로 평소 나는 '첫 만남의 이미지도 중요하지만 헤어질 때 잘 헤어져야 한다.'는 말을 종종 했었다. 맞는 말이다. 아름다운 이별까지는 아닐지라도 긴 인생길에서 앞도 중요하지만, 위의 예시처럼 뒤는 더 중요하기 때문이다. 우리네 인생에서 언제 어디서 어떤 모습으로 그 상대방을 또 만날지 알 수가 없기 때문이다.

3장의 주요 선율은 나를 다독이고 위로하는 말들이었다. 『불안이 영혼을 잠식할 때 가장 좋은 항불안제는 믿음이다. 나를 믿어라. 그리고 다독거려라. 나이가 어떻든 상황이 어떻든 마음은 내 것이니 다른 누구도 아닌 내가 다스려야 한다. 남에게 휘둘리지 마라.』

그러면서 저자는 2014년에 우리나라에서도 개봉한 인도영화 『런치박스』를 예로 들었다. 저자는 이 영화에서 "잘못된 기차가 목적지에 데려다 준다."는 인생 명언을 얻었다 했다. 기차 시간표처럼 인생에 계획표가 있어서 정해진 시간에 떠나고 정확한 시간에 도착하면 규칙적이고 안정적이겠지만, 기차는 그럴지 몰라도 인간은 그럴 수 없다는 것이다.

'시간을 헷갈리고 기차를 잘못 타고 엉뚱한 시간, 뜻밖의 장소에 도착할 수밖에 없는 게 인간이다.'고 했다. 그러면서 지금 거기가 당신의 목적지가 아니었을지라도 또 다른 출발을 할 수도 있다. 그러면 지금 있는 그곳은 괜찮은 경유지가 될 것이다. 방황과 실수를 받아들이며 다음을 향하다 보면 어느새 목적지에 도달해 있지 않을까? 그런 마음으로 자신을 다독이며 기차에 몸을 실어보자고 했다.

4장에서는 말하기의 실전 연습법을 소개했다.
많은 사람들 앞에서 말을 할 때 긴장하지 않으려면 자신감 있게 시작해야 된다고 했다. 그럼 자신감은 어떻게 생길까? 저자는 충분한 준비와 연습을 해야 자동적으로 생긴다고 했다. 예컨대, 어느 유명 뮤지컬 배우는 노래 한 곡을 만 번 씩 불러 본다고 했으며, 저자가 깜짝 출연한 개그 콘서트의 배우들은 5분 남짓한 한 코너를 위해서 100번에서 200번 정도 연습을 하더라는 것이다. 텔레비전에서 시청자들을 웃게 하는 건 그들의 타고난 재능보다는 **남들을 웃게 하려고 수백 번씩 준비한 노력의 결과였던 것이다.**

또한 우리가 일상에서 가장 빈번하게 접하게 되는 자기소개와 발표 잘하는 방법에 대해서도 팁을 줬다. '혼자서 해보는 방송'과 '문장을 쓰지 마세요' '벽을 뚫어라' 등 좋은 예시와 방법이이 있었는데 그중에 '혼자서 해보는 방송'이 특히 현실감 있게 와 닿았다.

예컨대, 점심 때 김치찌개를 끓여 먹으려 할 때 그걸 말로 표현하면서 행동해보는 방법이었다. 냉장고 문을 열며 "오늘 점심 매뉴는 김치찌개입니다." 김치 통을 꺼내며 말한다. "찌개를 끓이기에는 갓 담근 김치보다 약간 신 김치가 제격인데, 김치가 어느 정도 익었을까요?"김치 통 뚜껑을 열면서 말한다. "아, 안타깝네요. 신맛이 부족합니다. 하지만 그런대로 만들어 보죠, 뭐."

저자의 예시대로 실제 나도 한번 해봤다. 김치찌개 대신 라면을 끓이면서 해봤는데, 쉽지 않았다. 멈추지 않고 말하는 것도, 내가 하는 행동을 말로 옮기는 것도 만만치가 않았다. 전문 앵커들은 1분에 평균

373음절을 말한다고 하는데 나는 계산도 안 될뿐더러 발음도 잘되지 않았다. 여기서 작가는 왜 이런 연습이 필요한지에 대한 명확한 답을 준다.

『말을 하기 위해서, 제대로 하기 위해서는 입술을 비롯한 근육을 풀어주어야 합니다. 그보다 더 중요한 것은 내 마음을 풀어주어야 하기 때문입니다. 머릿속으로 말을 해야지 생각한다고 곧바로 말이 입 밖으로 나오는 게 아닙니다. 주말 내내 말을 하지 않고 월요일에 출근하면 "좋은 아침! 안녕하세요!"하는 인사조차 잘 나오지 않던 경험, 있지 않나요..』

말을 잘하기 위해, 말에 부담감을 덜기 위해, 두려움을 없애기 위해, 순발력을 키우기 위해 이렇게 일상의 행동에 말의 중계를 해보라는 저자의 조언을 나는 몇 번이고 시행해봤다. 처음에는 가족이나 남들이 보면 실성한 사람처럼 보이겠지만, 이거 정말 탁월한 방법이라 생각되었고 실제로 말 잘하기 학습에 도움이 많이 되었다.

이 책의 마지막 주제어는 『정리 또 정리 다시 정리』였다. 정리하는 습관 만들기를 제안했다. 영화 한 편을 보더라도 재밌네, 하고 넘길 게 아니라 분석도 해보고 생각도 해 보라는 것이다. 만약 내가 주인공이라면? 실제 이런 질문은 입사, 입시 등 다양한 채용 면접에서 나오는 질문이다. 많은 관객이 본 영화, 그해 베스트셀러에 오른 책은 면접관들이 즐겨 물어보는 단골 질문 소재이다.

"쉬운 일은 아니지만 정리하는 습관을 들이면 영화 한 편, 책 한 권이 내 것이 됩니다. **생각하는 습관을 들이면 나만의 언어가 나옵니다.**"

나는 지금도 이 구절을 업무용 노트에 옮겨 적어 놓고 있다. 책을 읽고 그 책에서 얻은 간접경험을 짧은 문장으로 요약하고 있으며, 영화 한 편을 감상하고도 그 영화가 던지는 질문이나 제작 의도를 나름의 언어로 기록하고 있다.

이 책의 저자 이금희 아나운서는 30년을 넘게 방송활동을 하면서 시청자들에게 국민아나운서라는 애칭을 얻은 언어 사용의 교과서로 평가받고 있다. 책을 다 읽고 덮었을 때 느낌은 말 잘하기의 실력 향상은 언어 사용의 테크닉이 아니라 상대의 마음을 헤아릴 줄 아는 따뜻한 말 한마디가 말의 시작이고 끝이다는 평범한 진리를 재발견한 점이다. 그래서 옛 부터 말 한마디에 천 냥 빚을 갚는다는 말이 있지 않은가.

문과 남자의 과학 공부

(단순한 것으로 복잡한 것을 설명할 수 있는가)

저자 유시민

고등학교 교과과정에서 설명하는 화학(化學)의 기본적인 개념은 물질(物質)과 물질(物質)의 변화(變化)를 연구(硏究)하는 학문으로 되어있다. 여기에는 두 가지의 키워드가 있는데 '물질'과 '물질의 변화'라는 것이다. 서점에서 고등학교 학생들이 배우는 화학 참고서를 살펴본바, 물질을 다루는 파트가 절반, 물질의 변화를 다루는 파트가 나머지 절반 정도로 구성 되어 있었다. 전체적으로는 4단원으로 구성되어 있는데 **화학의 첫걸음, 원자의 세계, 화학 결합과 분자의 세계, 역동적인 화학 반응** 등으로 나누어져 있었다.

원래 의도는 이 책의 **화학 편**에 나오는 『단순한 것으로 복잡한 것을 설명할 수 있는가』파트를 읽기 전, 화학의 기본 개념을 한 번 살펴보고『문과 남자의 과학 공부』책을 읽을 요량이었다. 근데 문제는 고교과정의 화학 책 첫 단원에서부터 어려웠다.

교과서 첫 단원에 나오는 화학의 첫걸음 내용인즉슨, 물질의 양과 변화 과정에서 물질의 양적인 변화에 의한 반응물(反應物)과 생성물(生成物)이 생기고 없어질 때 양적인 변화가 발생하는데, 이러한 물질의 양과 변화에 대한 관계를 이해하는 것이 양적 관계라 했다. 여기까지는 좋았다. 첫 단원의 제목은 달콤하게 붙여 놓고 조금 더 읽어 내려가니 복잡한 수학의 수식을 대입해야 하는 이과의 본색을 드러내고 있었다. 단원 배치부터 문과 출신들의 기를 팍 죽이고 있었다.

느낌으로는 물리(物理) 과목의 역학(力學)으로 느껴질 정도로 어려웠다. 주위의 학생들에게 물어보니 수능에서도 첫 단원의 화학 반응식과 양적 관계에 관한 문제가 화학 수능의 킬러 문항으로 분류 될 정도라고 했다. 예컨대, 1A + 3B → 2C 반응전과 반응이 진행되었을 때와 반응 후 C가 몇 개가 나오냐는 문제부터 계수들의 비율이 어떻고, 분자의 모형, 반응부피, 반응질량, 정반응과 역반응, 가역반응과 비가역반응, **화합물의 질량비를 이용하여 몰수비를 구하는 문제까지 학창시절부터 이과에 절절매며 살아온 문과 남자의 공포가 다시 살아났다.** 그 시절에도 되지 않았던 수학적인 문제 풀이가 중년의 나이에 접어든 이 시기에 될 리가 만무했다. 첫 걸음부터 발걸음이 무거웠다. 하여 깔끔하게 1단원 수식문제는 통과하고 나머지 단원을 대충 훑어보고는 서점 문을 나섰다.

『문과 남자의 과학 공부』는 **인문학과 과학, 뇌과학, 생물학, 화학, 물리학, 수학** 등 이과 분야의 주요 과목을 그 흔한 도표 하나 없이 문자 텍스트로만 문과의 언어와 인간의 언어로 쉽게 설명하였다. 이과 분야의 대표선수인 물리, 수학, 화학, 기계공학, 원자력 공학 등 대부분의 과목은 기호, 방정식, 특수문자 등 일상의 언어가 아닌 우주의 언어(수학식 부호)로 기술(記述)되어있기에 문과 출신들은 책을 쉽게 읽을 수도 없고, 읽을 수 없으니 이해를 못하고, 그러니 복잡한 방정식 앞에 서면 작아질 수밖에 없었다. 지금도 나는 수학과 물리학자들을 보면 외경심(畏敬心)마저 들 정도이다. 그들은 지구인의 몸을 빌린 외계인이며 예외적 천재라는 점을 인정하고 시작한다.

이 책의 저자를 비롯하여 소위 대한민국 최고의 명문대(서울대 법대 및 문과계열)를 입학 및 졸업한 난다 긴다 하는 사람들의 인터뷰를 보면 수학이 싫어서, 수학을 못해서 문과 계열을 선택했다는 사람들이 많았다. 하지만 엄밀히 말하면 그들은 겸손한 것이다. 예외적 수학의 천재들에 비해서 상대적으로 자신감이 떨어진다는 표현일 뿐이다. 적어도 나는 그렇게 생각한다. 내 자신이 수학에 관한 절대적 빈곤이라면 그들은 수학천재에 비교해 상대적 빈곤을 느꼈을 뿐이라는 것이다. 어쨌든 당대의 엘리트인 작가도 고등학교 과정의 수학을 잘 못해 수학 교과서를 외웠다고 했으니, 그의 진술함에 힘입어 내가 수학을 못해 수포자가 된 것이 온전히 내 잘못만이 아니라는 위안을 얻으며 편안한 마음으로 이 책을 읽기 시작했다.

(화학은 억울하다)

우리는 경제적 여유를 가지면서 유기농 식품, 천연조미료, 천연섬유 등 환경 친화적인 음식이나 제품을 선호하게 되었고, 반면에 화학조미료, 화학제초제, 화학 살충제 등 어떤 제품이나 물질 앞에 화학이라는 단어가 들어가면 나쁘다는 인식을 갖고 있다. 이 책의 표현대로 '화학을 자연에는 없는 물질을 만드는 기술로 여기며, 화학과 친하면 암에 걸릴지도 모른다고 생각' 할 정도이다. 작가는 미국의 해양(생물)학자 **레이첼 카슨**(1907~1964)이 펴낸 『침묵의 봄』에서 설명한 살충제, 살균제의 사용으로 생태계가 파괴되는 화학사용의 위험성을 우선 예로 들었다. *(주기율표 : 원자번호 6번, 원소기호는 C, 원소이름 **탄소**의 결합에 의한 화합물의 생성에 관한 것)*

『탄소는 자기네끼리 잘 뭉친다. 다른 원소와 결합하는 능력도 뛰어나다. -중략- 탄소는 수소와 특히 친해서 다양한 화합물을 만드는데, 구조가 제일 단순하고 아름다운 것이 탄소 원자 하나와 수소 원자 4개가 결합한 메탄(CH_4)이다. 사육 가축의 방귀와 배설물에서 나온 매탄은 온실효과를 일으켜 지구의 온도를 높이며, 탄광 갱도에 쌓인 메탄은 폭발을 일으킨다. -중략- 탄소원자가 여러 개인 탄화수소를 사슬 모양으로 배열해 다른 원자나 분자를 붙이면 맹독성 물질을 만들 수 있다. 화학자들은 그런 방식으로 DDT, 클로로데인, 알드린, 엔드린 같은 살충제를 합성했다. 그 살충제가 자연에서 화학적 변화를 일으키면 더 위험한 물질로 바뀌어 물과 흙에 달라붙는다. 먹이사슬을 거쳐 사람의 몸에 쌓이면 심각한 질병을 일으킨다.』

1962년에 나온 카슨의 『침묵의 봄』은 화학산업에 대한 두려움을 불러일으켰다. 사람들은 병을 옮기고 곡식을 축내는 곤충을 상대로 농업혁명 이후 1만 년 동안 벌여온 전쟁을 화학 살충제가 끝내 주리라 기대했다. 그런데 생물학을 전공한 카슨은 그런 기대를 망상이라고 한 것이다.

그녀의 주장은 분명했다. '살충제는 특정 해충만이 아니라 모든 곤충을 죽인다. 없애려고 했던 해충은 살충제 내성을 얻어 다시 창궐한다. 인간이 곤충을 상대로 전개한 군비확장 경쟁은 새를 죽였다. 새가 살지 못하는 환경에서는 인간도 살기 어렵다.'

카슨의 이러한 주장에 미국 화학업계와 언론은 그녀를 '신경과민에 걸린 여류작가' 라고 깎아내렸지만 시민들은 카슨의 경고에 동조했다. 시민들이 큰 충격을 받고 항의 행동을 시작하자 미국 정부는 실태조사를 했으며, 곧 카슨이 옳다는 사실을 확인했다. 이를 계기로 모든 나라가 DDT를 비롯한 염화탄화수소 계열 살충제 생산(生産)을 금지(禁止)했다. 하지만 카슨의 싸움이 끝난 건 아니었다. 유해성(有害性)이 확인된 물질의 생산만 금지(禁止) 했을 뿐 새로운 물질(物質)을 만드는 행위(行爲)를 막지는 못했다. 지금도 인위적(人爲的)으로 **합성(合成)한 화학 물질**이 생태계(生態界)와 인간을 해치는 일들은 끝없이 이어지고 있다.

위 내용처럼 화학의 이미지가 나빠도 사람들은 화학제품에 아낌없이 돈을 쓴다. 저자는 '화학은 천연의 반대말이 아니다' 라고 했다. "자연 상태에 존재하든 사람이 인위적으로 만들었든, 물질로 존재하는 모든 것은 화학의 연구 대상이다."했다. 더 나아가 '화학은 인간의 욕망, 생명력, 번식 등과 밀접한 관련이 있는 과학이다.' 라고 했다.

예컨대, 필수 생활용품인 화장품, 비타민C, 립스틱, 비아그라, 살균제, 소독약, 항생제, 일회용 기저귀, 껌, 아스팔트, 젖병, 건축용 시멘트, 비료는 물론 우리가 마시는 막걸리, 맥주, 포도주를 포함해 발효 과정을 거쳐 만드는 알코올 함유 음료도 모두 화학의 세계에 속한다고 했다. 이렇듯 현대인의 삶은 화학에서 시작해 화학으로 끝난다고 해도 지나치지 않다. 그런데도 우리는 화학을 악당으로 여기는 경향이 있다. 화학은 억울하다. 화학은 생명을 해치는 사악한 마법이 아니라 좋지 않은 물질을 만들어 **잘못 사용한 책임은 화학이 아니라 우리 인간에게 있다**는 작가의 이러한 견해에 나도 수긍할 수 있었다.

(위대한 전자)

모두(冒頭)에서 화학은 물질과 물질의 변화를 연구하는 학문이라 했는데, 부연하면 물질의 조성과 구조, 성질, 관계, 변화를 연구하는 과학이라는 뜻이다. 저자는 소금이 물에 녹는 과학적인 원리를 설명하면서 **원자의 구조와 전자의 운동**을 모르면 소금이 물에 녹는 현상을 확실하게 설명할 수 없다고 했다. 물질은 원자로 이루어져 있으며 원자의 정체를 모르고는 물질의 구조와 성질을 파악할 수 없다는 뜻이다. 또한 저자는 양자역학이 나온 뒤에야 화학은 비로소 온전한 과학이 될 수 있었다 했으며, "환원(還元. *복잡한 것을 단순한 것으로 나누어*

단순한 것의 실체와 운동법칙을 파악하는 작업. 모든 대상을 이런 방법으로 연구하려는 경향을 환원주의라고 함)의 필요성과 위력을 잘 보여주는 과학 분야가 화학이다." 라고 했다. 하지만 학교에서 화학과 물리를 따로 가르치고, 대학에서도 화학과와 물리학과가 따로 있다. 당연히 두 분야는 연구 대상이 다르기 때문이다.

그런데 화학 이야기에 물리가 왜 나오며 원자와 전자가 왜 화학에 등장할까? 물리학에서는 물질을 구성하는 최소 단위를 보통 원자라고 하는 것에 비해 화학에서는 원자와 원소가 뒤섞여 나왔다. 교과서적인 의미는 원자는 원소의 한 단위다. 원자의 구성 입자는 중앙에 **원자핵**이 있으며 그 원자핵 속에는 양성자와 중성자가 있다. 그리고 원자핵 주변에는 마이너스 전하를 띠고 있는 **전자**들이 돌고 있으며 우리는 이들을 합해서 원자라고 한다. 물론 원자는 전기적 중성이다. 저자는 생물학 언어로 표현하면 원소는 호모사피엔스, 원자는 한 사람이다고 정의했다. 과연 문과다운 명쾌한 설명이다. 어쨌든 물질의 성질과 변화를 연구하는 화학에서는 원소가 중요하고, 미시세계의 역학을 탐구하는 물리학에서는 원자가 중요하다고 하겠다.

화학의 첫 걸음은 원소 주기율표와 분자 화학식을 외우고 익히는 것으로부터 시작한다. 학창시절에 나도 대충 외웠었다. 외워야 되니까 외웠을 뿐이었다. 주기율표는 물질의 분자를 원소의 기호와 원자의 수를 적은 화학식으로 배열한 것이다. 주기율표의 원소 기호를 사용하여 화학식을 나타내고 그 화학식을 기본으로 화학 반응을 나타낸 식을 화학반응식이라 한다. 예컨대 화학반응식 H2O는 물의 원소는 수소와 산소 2가지이고, 물 분자는 산소 원자 하나와 수소 원자 2개로 이루어져 있다는 정보를 담고 있다.

화학반응식에서(H + O → H2O)수소 하나와 산소 하나가 만나서 이룬 결과물이 왜 수소2개와 산소 1개로 만들어 질까? N + H → NH3 질소 1개와 수소 1개가 만나서 이룬 생성물이 왜 NH3 로 표기할까 궁금했었다. 원자들이 결합해 물질의 분자를 만드는 결합의 원리를 이해하기 위해서는 원소들의 구성인 금속과 비금속이 자연 속에서는 원자 알갱이 단독으로는 존재하지 않음을 알아야 했다. 예외적으로 헬륨, 아르곤, 네온 등은 단독으로 존재한다. 원소들이 그룹을 형성해서 물질을 이루고 달라붙는 형태를 화학에서는 결합했다고 하는데, 이렇게 결합하는 방식을 3가지로 분류한다. 이온결합(금속+비금속), 공유결합(비금속+비금속), 금속결합(금속) 으로 나눈다.
이온결합의 대표선수는 NaCl, 공유결합의 예시는 H2O, 금속결합에는 NaFe 등이 있다. 여기서 알아야 할 점은 이온결합은 분자가 아니고, 공유결합은 대부분 분자 이지만 아닌(다이아몬드, 흑연, 이산화규소)것도 있다. 금속결합은 분자가 아니다.

예를 들면 유리 물질의 구성 원소는 Si O, 결합 형태는 공유결합이며 분자가 아니다. 소금의 구성 원소는 Na Cl이며 결합은 이온결합, 분자여부는 분자가 아니다. 그리고 휘발유는 C와 H이고 결합 형태는 공유결합이며 분자이다.

결론적으로 분자구조를 갖는 것은 공유결합만 가능하고 원자를 결합하게 만드는 것은 전자이다. 공유결합이 만든 분자화합물은 부드러워서 액체나 기체가 많은 반면, 이온결합이 만든 이온화합물은 고체가 많다. 물과 소금, 즉 공유결합과 이온결합의 원자를 결합하게 만드는 것은 모두 전자(電子)인 것이다. 작가의 표현으로 하면 "전자가 그렇게 대단한 일을 하는지 몰랐다. 원자들이 흩어지지 않고 물질을 이루는 것, 우리 몸이 생존에 필요한 화학 공정을 가동할 수 있는 것이 다 전자 덕분이다."고 했다.

그런데 전자는 정체를 파악하기가 어렵다. 오늘날 우리가 사용하는 대부분의 전자제품은 전자가 일궈낸 결과물이지만 미시세계의 전자는 논리적 설명이 불가능한 양자역학의 분야이다. 앞서 말했지만 화학과 물리는 서로 보완적인 관계로 발전하였다. 화학자들은 각 원자들의 성질을 분석해 주기율표를 만들었으며 물리학자들은 양자역학을 통해 왜 그런 성질을 가지는지 찾았다.

화학의 분야에 물리와 양자역학이 상호 통섭의 관계임을 알 수 있는 좋은 예임을 점차 알게 되었다.

(탄소 유능한 중도)

화학 교과서에서 말하는 탄소는 주기율표상 2주기 14족에 위치하고 있는 원소이며, 원자가 전자 4개를 가지므로 최대 4개의 원자와 공유결합한다고 나와 있다. 이 말은 탄소 바깥쪽에 4개의 전자를 가지고 있으므로 4개의 전자를 이용해서 다른 원소랑 4번의 공유결합을 할 수 있다는 뜻이다. 쉽게 말하자면 탄소는 팔이 4개짜리 원소다 생각하면 되겠다. 이렇게 팔이 4개나 되니 다양한 결합을 할 수 있다. 직선형, 가지를 친 사슬모양, 고리모양, 2중 결합과 3중 결합도 가능하다. 이렇게 다양한 결합물의 결과로 탄소화합물이 만들어지는 것이다. 탄소 화합물이 다양한 이유는 구성 원소의 가짓수는 적으나 다양한 결합이 가능하기 때문이다. 이 내용은 내가 고등학교 화학 교과서를 읽어보고 나름 내린 탄소 및 탄소화합물의 개념이다.

그런데 이 책의 저자는 달랐다. 저자는 탄소의 개념을 '탄소는 진보도 보수도 아닌 유능한 중도다.'라고 인문학적으로 알기 쉽게 정의했다. 인간 사회의 현상을 비유하면서 낯선 것에 대한 적대감을 보이는 행동 즉, 인종주의라든가 혹은 외집단배타주의라든가 이주노동자들에 대한 차별 등 이러한 사회 현상에 비교하면서 탄소는 그러한 배타주의가 없이 중도를 잘 지킨다는 것이다. 탄소는 자기들끼리 붙을 때나 다른 원소하고 붙을 때 별 차이가 없으며, 자기들 끼리나 다른 원소와도 잘 어울리는 유연성이 있다고 했다.

더 나아가 탄소는 생명체를 만들 수 있는 좋은 기회가 왔을 때 누구를 맞아들일 수 있는 여유가 있다고 했다. 무능한 중도는 좌우에 달라붙으면 찢겨나가지만 유능한 중도인 탄소는 좌우를 통합하는 생명의 핵심 원소가 되었다고 했다.

우리는 위에서 한 가지 물질로만 이루어진 것을 원소라 배웠고 탄소와 결합한 2가지 이상의 물질을 '탄소화합물' 이라고 익혔다. 이러한 분자화합물의 태생적 성질로 인해 기후위기와 환경오염의 원흉을 말할 때 가장먼저 눈치를 받는 것이 중심 원소인 탄소이다. 기후 관련 과학자들은 지구의 온도가 산업화 이전 대비 약2도 이상 상승하게 될 경우 기온의 폭발적인 상승을 막을 수 없게 될 것이라 경고했다. 섭씨 2도이면'아직 여유가 있다'라고 생각할 수 있지만 이미 1900년대와 비교해서 1.1도가 상승한 상태인지라 통제 불능 상태의 목전에 와있다고 봐야한다. 2도 상승하면 북반구가 불타고 해수면은 최대 5m상승 할 것이고 치명적 폭염으로 인한 인류 생존의 문제와 직결된다는 것이다.

온실가스 배출의 원흉으로 이산화탄소를 지목하지만 온실가스 농도는 2005년 교토의정서에서 발표한 6대 온실가스(이산화탄소, 메탄, 아산화질소, 수소불화탄소, 과불화탄소, 육불화황)에 비교해서 온실가스 농도 지수는 가장 낮게 나온다. 예컨대, 이산화탄소의 가스농도 지수가 1이라면 메탄은 21, 이산화질소는310, 과불화수소는 6,500 ~ 92,000, 육불화황은 23,900이다. 온실가스 농도로만 보면 이산화탄소 농도가 가장 약하다. 이산화탄소는 억울하다.

그런데 왜 지구온난화의 주범으로 모두 이산화탄소를 지목할까? 문제는 온실효과 기여도는 반대이기 때문이다. 전체 온실가스 배출량 중

이산화탄소의 온실효과 기여도는 88.6%, 메탄 4.8%, 이산화질소 2.8%, 나머지 세 개는 3.8%로 나온다. 전체 온실가스 중 온실효과에 대한 이산화탄소의 기여도는 80%가 훨씬 넘는다. 온실효과가 무섭다는 것이고 그 주범이 이산화탄소라는 말인데 여기서 우리는 온실효과에 대한 약간의 이해가 필요하다. 나도 궁금해서 여기저기 책을 뒤져봤다.

온실효과는 태양의 열이 지구고 들어와서 나가지 못하고 순환되는 현상을 말한다. 태양에서 방출된 빛 에너지는 지구의 대기층을 통과하면서 일부분(50%)은 우주로 방출 및 대기층에 흡수되고 약 50% 정도의 햇빛만 지표에 도달하게 된다. 지표에 흡수된 빛 에너지는 열에너지나 파장이 긴 적외선으로 다시 방출된다. 방출되는 적외선의 절반 정도는 대기를 뚫고 우주로 빠져나가지만 나머지는 구름, 수증기 또는 이산화탄소 같은 온실효과 기체에 의해 흡수되고 온실효과 기체들은 다시 지표로 되돌려 보낸다.

이와 같은 작용이 반복되면서 지구의 온도가 올라가게 된다. 이러한 온실효과는 지구를 항상 일정한 온도 범위로 유지시켜주는 중요한 현상이다. 만약 대기가 없어서 온실효과가 없다면 지구는 화성처럼 낮에는 햇빛을 받아 수십도 이상 올라가지만 밤에는 모든 열이 방출되어 영하100도 이하로 떨어지게 될 것이다.

지구의 대기권을 오염시켜 빛 에너지의 대기권 방출을 막고 적외선을 갇히게 하여 다시 지구로 되돌려 보냄으로써 지구의 안정적인 균형을 깨트리고, 기후 온난화를 부추기는 이산화탄소의 배출량을 억제해야 하는 이유가 여기에 있는 것이다.

기후위기의 주요 원인이 온실가스이고, 온실가스 중 온실효과의 주범이 이산화탄소임을 알았다. 이러한 온실가스들은 지구 표면 어디에서 방출하든 똑 같이 지구온난화를 부추기며 해롭다는 것임은 자명하다. 그렇다면 그 많은 탄소는 어디에서 왔는가? 다시 이 책의 187쪽으로 가보자. 저자는 '어디서 온 게 아니다. 원래 지구에 있었다. 다른 곳에 다른 형태로 있던 탄소가 풀려나 산소, 수소와 결합한 탓에 기후위기가 생겼다. 오르지 인간 탓인 건 아니다. 화산 폭발과 자연발화 산불도 중요한 원인이다. 하지만 호모 사피엔스가 문제를 더 심각하게 만들었다는 것은 분명하다.' 고 했다.

인류는 오래 전부터 나무를 에너지원으로 사용했고 산업혁명 이후에는 석탄을 파냈으며 그 후로는 석유를 뽑아냈다. 겨울에는 난방과 취사용으로 나무와 석탄을, 20세기 이후에는 자동차와 비행기 등 기술이 발전함에 따라 탄소가 메인인 원료들을 더욱 더 마음껏 사용했다. 인구 증가에 따른 먹거리 소비용 동물들(소, 양, 돼지, 닭 등)의 배설물에서 나오는 탄소도 만만치 않았다. 도시의 개발을 위해 숲을 훼손한 탓에 나무가 광합성으로 흡수 고정하는 탄소량이 상대적으로 줄었다.

내 느낌에는 결국 우리 인간이 땅에 묻혀있는 탄소와 자연에 존재하는 탄소를 무분별하게 발굴해서 엎어뜨리고 내치고 해서 오늘날 이

사단(事端)이 났고, 그러다 보니 탄소가 기후 악당 취급을 받는 것이라 생각한다. 저자는 한술 더 떠서 '사피엔스가 탄소를 악당 취급하는 것은 살인범이 칼을 비난하는 것이나 다름없다.' 까지 했다.

　화학적으로는 지구의 모든 생물체는 탄소를 기반으로 이루어져 있다. 탄소가 아닌 다른 원소로 구성된 생물체는 현재까지 발견 된 적이 없다. 원자가 결합해 분자를 만들었고 분자가 뭉쳐 세포를 형성했으며 세포가 결합해 생물이 되었다. 또한 과학적인 분석으로 보면 숯과 석탄과 석유에 탄소가 들어있는 이유는 식물과 동물의 사체로 만들어졌기 때문이다. 그러므로 인간의 몸에도 당연히 탄소가 있다. 애당초 탄소가 없었으면 생물도 인간도 없다. 이렇듯 탄소는 생물의 몸을 만드는 데 가장 중요한 역할을 한다.

　그렇다면 탄소는 왜 생명의 중심이 되었을까? 이 책의 저자 유시민 작가는 인문학적(정치학 언어)인 대답으로 탄소의 편을 들었다. '탄소는 유능한 중도여서 성공했다. 좌,우 어느 쪽에 치우치지 않았고, 가끔 치우치는 경우에도 슬쩍 편을 드는 정도에 그칠 뿐 극단으로 가지 않는다. 사람으로 치면 성격이 온화하고 태도가 유연하다. 무엇이든 되는 쪽으로 일을 만들어 나간다.' 했다. 탄소에 관한 적절한 인문학적 설명이라 생각한다.

　인간의 무분별한 환경오염과 관련해서 예전에는 '기후변화'에서 '기후위기'로 최근에는 '기후재앙'이라는 직관적인 경고로 바뀌었다. 기후관련 전문가들은 지구 온난화의 시대는 온건한 표현이며 지구 열대화(Global Boiling)시대에 접어들었다고 한다. 지구 열대화를 막기 위해서 IPCC(기후변화에 관란 국제협의체)에서는 2100년까지 지구 평균온도 상승폭을 1.5도로 제한해야하며 이를 위해선 2050년까지 온실가스 순 배출량을 2010년 대비 40~70% 감축해야 한다는 발표를 읽은 적이 있다.

또한 지금의 상승속도로 가면 2040년에 가면 한계에 다다를 것이라는 분석도 있었다. 주로 화석연료를 태우면 나오는 이산화탄소(CO_2) 방출량을 줄이는 것이 중요하게 되었다. 하지만 이 문제는 현실적으로 간단치 않다. 국제적으로 이산화탄소를 줄이기 위해 각종 대책을 발표하고 있지만 각 국의 경제적인 문제와 직결되기 때문이다. 선진국들은 과거에 이산화탄소를 뿜어내며 경제 성장을 이루어냈고 이제는 이에 대응할 수 있는 기술력과 자본을 가지고 있지만 후진국 입장에서는 이산화탄소를 내뿜지 말라고 하는 것은 경제 성장을 하지 말라는 소리로 들리기 때문이다. 쉽게 말해 사다리 걷어차기가 되는 것이다. 우리나라를 포함한 선진국들은 이산화탄소 포집기술(이산화탄소를 분리해서 모으는 기술)을 이용하여 이산화탄소만 회수하고 나머지 가스를 방출하는 방법으로 노력하고 있지만 이 또한 후진국에서 상용화하기에는 기술과 비용이 만만치 않은 것으로 알려졌다.

문과 남자의 과학 공부 이 책의 챕터 중『화학편』의 시작은 아주 작은 미시세계인 원자, 원소, 전자, 분자 등에서 출발하여 거시 세계인 지구의 기후재앙에 이르기까지 인간의 오남용과 욕망이 빚어낸 화학제품의 현실적인 문제까지 폭 넓게 연결 되어 있었다.

탄소원자 하나가 다른 탄소원자 4개와 결합해 3차원 구조를 만들면 다이아몬드가 된다. 지금까지 우리는 영롱한 빛을 발하는 다이아몬드 같은 외형에만 몰입하여 환희와 갈채에만 눈멀고 귀 멀었던 것은 아니었든지. 그리하여 우리가 일상에서 무심코 사용하고 버리는 일회용 컵, 플라스틱, 비닐 등 수많은 화학제품들이 이산화탄소의 악당이 되어 우리들 삶의 건전성을 해치고 종내는 그 폭군들에게 잡아먹히는 비참한 말로가 멀지 않다는 경각심을 가지게 하는 교훈적이면서도 가슴 섬뜩한 내용이었다.

제3부

역무원의 독서노트
(문학 감상문)

사람의 아들을 다시 읽으며(大綱)

저자 이문열

《고전적 품위의 성취(成就)》

이문열(李文烈) 작가(作家)의 대표작 '사람의 아들'이 세상에 나온 지 벌써 40년이 지났지만 그 문학적(文學的) 진지함과 완성도(完成度)는 변함없이 유지되고 있다.

이 책 한권만으로도 200만 가까운 독자들과 만났으며, 한국문단(韓國文壇)의 역사상(歷史上) 단일 제명(題名)으로 가장 많이 팔린 책으로 기록되어 있음을 봐도 그 문학적 품격(文學的 品格)이 남다름을 알 수 있다.

20대의 끄트머리에 이 책을 처음 만났을 때의 낯가림은 세월이 흐른 지금에서도 크게 변하지 않는다. 그 때나 지금이나 내 형편없는 지적 소양(知的素養)과 이해력(理解力)에 얼굴 붉히면서 이 책의 저자 이문열의 지적편력(知的編曆)을 속수무책(束手無策)으로 받아들일 수밖에 없는 나 자신의 무지(無知)가 안타깝기까지 하다. 300여개가 넘는 신(神)들의 이름을 헤아리는 것은 애초부터 불가능(不可能)한 것이었고 '아하스 페르츠'와 '예수'의 이른바 산상수훈(山上垂訓)논쟁(論爭)도 버겁기는 마찬가지다.

'사람의 아들' 주제가 되는 기독교철학(基督教哲學)은 긴 세월동안 서양의 숱한 천재들을 등장시킨 분야이며, 이 소설(小說)의 배경이 되는 시간적(時間的) 공간적(空間的)인 지점은 세계 삼대 고대문명(古代文明)의 발상지(發祥地)인 이집트 문명, 메소포타미아 문명, 바빌로니아 문명의 바탕위에 헬레니즘(Hellenism)과 헤브라이즘(Hebraism)이 교차하는 지점이었다.

  우리가 다 알다시피 2천 년 전의 유대는 비참하기 이를 대 없었다. 민중들은 경제적 수탈(經濟的 收奪)과 로마의 압제(壓制)에 생존(生存) 그자체가 위협받는 지경이었고 사회는 말세론(末世論)으로 밑바닥에서부터 동요하고 나라의 주권(主權)은 로마에 종속(從屬)되어 있었다. 그때 스스로를 메시아라 주장하는 사람(예수)이 나타났고 그는 하늘나라가 가까웠음을 알렸으며 회개(悔改)를 촉구하고 구원(救援)을 약속했다.

  이웃사랑을 최고의 덕목으로 설파하고 그 수단으로 화해(和解)와 용서(容恕)를 먼저 권했다. 이민족인 로마 군대보다 한층 더 잔혹하게 동족을 통치했던 헤롯『예수를 죽이려고 베들레헴의 2세 이하의 유아를 위해(危害)함』과 그 일파의 폭정에 대해서도 비난을 삼갔고 로마의 압제(壓制)와 그 수탈(收奪)에 대해서도 말하지 않았다. 그는 땅위의 비참과 불행보다는 멀리 있는 하늘나라를 강조 하였으며 몸보다는 영혼, 빵보다는 하느님의 말씀을 소중하게 여기도록 가르쳤다. 그런 메시아에 대해 그 당시 유대의 민족주의자(民族主義者)와 율법자(律法者)들은 당연히 분노했고 마침내 그들은 예수를 십자가에 못 박는 데 성공했다.

작가 이문열이 사람의 아들을 완성(完成)한 시기는 스물여섯 살 때였다. 10대 후반에서 20대 초반에 걸친 5,6년 동안 그가 몰두(沒頭)했던 이념문제(理念問題)를 결산(決算)한다는 의미로 군(軍) 입대(入隊)를 앞두고 대강 350장 정도의 중편(中篇)으로 만들어 어떤 잡지사(雜誌社)의 신인 원고 모집에 투고를 하고 입대를 한다. 그해가 1973년 여름 이었다.

하지만 그 당시 문단(文壇)의 분위기 탓이었는지 그때는 예심도 통과 하지 못한다. 그 뒤 1979년 '새하곡(塞下曲)'으로 동아일보 신춘문예(新春文藝)에 당선(當選)되고 난 후, '세계의 문학'이라는 잡지사의 중편(中篇) 청탁(請託)을 받고 묵은 원고더미에서 다시 '사람의 아들'을 꺼냈다. 그런데 '세계의 문학사'측은 봄 호에 게재하는 대신 '오늘의 작가상(作家賞)'에 응모(應募)하라는 권유(勸誘)를 하고 작가는 두말 없이 그기에 따랐다.

『사람의 아들』은 1979년 그 해에 '오늘의 작가상'을 수상(受賞)한다. 이런저런 우여곡절 끝에 이문열의 대표작 '사람의 아들'이 탄생한 것이다. 그리고 이 작품의 완성도에 가장 큰 영향을 미친 작품으로는 루마니아 출신의 문인이자 종교학자인 '멀치아 엘리아데'의 작품 '聖과

俗'의 영향이 컸음을 그의 산문집 '신들메를 고쳐 매며'를 읽고서 새롭게 알게 되었다.

『사람의 아들』은 주인공 '민요섭'을 통해 인간 존재의 근원(根源)과 그 초월의 문제를 기독교적 세계관에서부터 인간 예수의 내면세계(內面世界)에 이르기까지, 이문열 특유의 유려한 문장과 독특한 대화체(對話體) 형식으로 구성되어 있는 전지적 작가시점(全知的 作家視點)의 **액자소설**이다.

예수 시대에 기독교를 부정했던 아하스 페르츠와 현대 사회에서 반기독교적 이념(理念)과 행동(行動)을 보이는 민요섭을 통해 예수를 '거짓된 사람의 아들'로, 예수와 동시대 인물이면서 사탄으로 비난 받은 '아하스 페르츠'를 진정한 사람의 아들로 그려 낸다.

열아홉 나던 해의 어느 날 밤 아하스 페르츠는 아버지에게 다음과 같이 묻는다.

아하스 페르츠 : 아버지는 하수인(下手人)과 교사자(敎唆者) 중에서 어느 편을 더 벌하시겠습니까?

아버지 : 그야 물론 교사자(敎唆者)지.

아하스 페르츠 : 그럼 하수인(下手人)은 항상 무죄(無罪)입니까?

아버지 : 그렇지는 않다. 아무리 하수인이라도 자기가 하는 일의 악성(惡性) 혹은 결과(結果)의 그릇됨을 알고 있거나 알 수 있었다면 그 또한 벌(罰)을 받아야 한다.

아하스 페르츠 : 만약 그 하수인(下手人)의 감정(感情)과 의지(意志)가 모두 그 교사자(教唆者)의 지배 아래 있거나 교사자(教唆者)로부터 저항할 수 없는 힘으로 강요(强要)받은 경우에는 어떻게 됩니까?

아버지 : 그야 없지. 그럼 카인이 그런 하수인(下手人)이었다는 말이냐?

아하스 페르츠 : 아버지, 아버지께서는 피조물(被造物)의 의지가 창조주(創造主)의 의지(意志)를 뛰어넘을 수 있다고 생각하십니까?

아버지 : 물론 아니다. 우리 몸의 터럭 하나 숨결 한 갈래도 그분께서 주시지 않은 게 없는 것처럼 우리의 정신도 모두 야훼 하느님의 의지 안에 있다.

아하스 페르츠 : 그럼 카인의 살의(殺意)는 누구에게서 왔습니까?

아버지 : 갑작스럽지만...... 그분- 모든 것의 출발이신 하나님께서 주셨겠지. 그러나 금지규범(禁止規範)과 함께였다.

아하스 페르츠 : 그렇다면 그 금지(禁止)를 어기고 감히 살인(殺人)으로 나아간 그 의지(意志)는 어떻게 됩니까?

아버지 :......,

이상의 대화에서 보듯이 아하스 페르츠가 제시하는 의문(疑問)은 곧 민요섭의 의문(疑問)이기도 하다. 인간에게 악이 있다면 그것은 태초(太初)에 천지만물(天地萬物)을 창조(創造)한 야훼의 책임이며, 야훼의 힘으로도 어찌할 수 없는 인간의 악이라면 전지전능(全知全能)의 신은 부정되어야 한다는 것이다.

왜 우리의 신은 인간의 고통(苦痛)에 무감각(無感覺)하며 방관(傍觀)한 채로 언제일지 모르는 훗날의 막연한 구원(救援)만을 기다리라 하는 것인가. 또한 헐벗고 굶주린 인간으로서 지키기 어려운 구원(救援)의 조건, 하늘에 재물을 쌓고 원수를 사랑하라는 인격(人格)을 갖춘 사람만이 구원(救援)의 대상이 될 수 있다는 야훼의 말씀은 또 무엇인가. 불행(不幸)은 왜 선. 악을 불문하고 우리를 찾아오는가? 이렇게 기존(旣存)의 종교계(宗教界)에 모순(矛盾)을 느낀 민요섭은 자신이 꿈꾸는 이상적 절대적 신의 존재(存在)를 찾기 위해 신학대학(神學大學)을 중퇴(中退)하고, 비참하고 고통 받는 현실(現實)의 인간(人間) 속으로 나아간다.

미래의 구원 보다는 현세의 구원, 영혼의 말씀 보다는 빵과 우유가 더 절실한 가난한 민중(民衆) 속으로 달려간 것이다. 그것은 아하스 페르츠가 이집트, 가나안, 페니키아, 바빌론, 인도, 등을 돌아다니며 새로운 신을 찾아 사유하며 방황했던 모습과도 흡사하다.

이렇게 기독교적 세계관의 바깥에서 사유하며 방황하던 과정에서 민요섭은 조동팔을 만나게 되고 그와 함께 기존의 기독교적 정신의 테두리를 벗어나 자신의 주체적인 사유의 결과물인 '쿠아란 타리아서'를 만든다. 신의 힘으로 인간의 세계를 움직이는 것이 아니라 인간의 논리(論理)와 인간의 정의(正義)를 통하여 용서와 구원을 희망한다는 내용이었다.

하지만 구조적인 그 당시의 사회적 모순과 그기에 무감각하게 길들여진 인간들, 그러한 것을 당연한 것으로 받아들이는 70년대의 사회적인 인식 속에서 민요섭은 지치게 되고 결국은 다시 기독교로 회귀하고, 반기독교적인 논리의 치열함에 비해 너무도 손쉽게 기독교로 돌아 가버린 민요섭의 배반에 실망한 그의 제자 조동팔에 의해 살해되는 것으로 소설은 끝이 난다.

신은 우리 인간세계의 영원한 주제다. 작가의 말처럼 모든 선지자(先知者)들이 떠나 버린 지금, 천상(天上)의 소리는 더 이상 우리의 영감(靈感)을 자극하지 못한다 할지라도 은혜(신)의 지배를 정의(인간)의 지배로 대치시키고자 했던 한 젊은 영혼의 이야기는 인간 세상이 존재하는 한 오랜 시간동안 우리들 가슴에 영원한 화두(話頭)로 남을 것이다.

연금술사

저자 파울로 코엘료

나르키소스의 전설로 시작되는 파울로 코엘료의 소설 '연금술사'는 산티아고라는 주인공이 **자아의 신화**를 이루어 나가는 과정을 그린 일종의 성장소설이다. 소설의 공간적 배경은 스페인과 이집트이다. 산티아고의 부모님은 그가 신부가 되기를 원했다. 하지만 성장하면서 산티아고는 더 넓은 세상을 알고 싶었고, 어느 날 집으로 돌아온 산티아고는 여행을 하고 싶다고 아버지에게 말한다. 그러나 아버지는 떠돌이들 삶의 부정적인 면을 설명하면서 '우리들 중 떠돌이 삶을 살 수 있는 건 양치기 밖에 없다'며 만류한다. 그러자 산티아고는 양치기가 되겠다고 말한다. 그 말에 아무 대답 않던 아버지는 다음날 스페인의 옛 금화 3개를 주면서 이걸로 양을 사서 세상을 마음껏 여행하라고 허락을 한다. 여행하면서 우리가 살고 있는 곳이 가장 가치 있고, 우리 마을 여자들이 가장 아름답다는 것을 알 때 까지 다녀보라고 했다. 그러면서 아버지는 아들에게 축복을 빌어준다. 이 순간 소년은 아버지의 눈을 보고 알 수 있었다. 아버지 역시 세상을 떠나고 싶어 한다는 것을. 물과 음식, 그리고 밤마다 몸을 놓일 수 있는 안락한 공간 때문에 가슴 속에 묻어 버려야 했던, 그러나 수십 년 세월에도 한 결 같이 남아 있는 그 마음을.....,

이윽고 산티아고는 금화 3개를 팔아서 60마리의 양을 사고, 그 양을 데리고 다니면서 양 털을 깎아 팔면서 '안달루시아' 곳곳을 다닌다. 책을 읽고 밤이면 그 책을 베개 삼아 자면서 때때로 양들에게 감명 깊게 읽은 구절을 알려주면서 떠도는 이의 외로움이나 기쁨도 말해 주었다. 그렇게 1년 지났을 때 양털 가게 상인의 딸을 만난다. 늘 양들 하고만 이야기하던 산티아고는 소녀와의 대화가 즐거웠다. 소녀와 함께하는 시간이 영원하기를 기대했다. 둘은 급격하게 가까워졌고 산티아고는 처음으로 그 마을에 정착하고픈 마음도 들었지만, 1년 후 돌아오겠다는 약속을 남기고 그 마을을 떠난다.

1년 동안의 다양한 경험과 여행을 마친 산티아고는 안달루시아 지방의 그 소녀를 만나기 위해 돌아가기로 결심한다. 소녀를 만나기 위해 돌아가는 길에서 우연히 한 노인을 만난다. 노인은 자신이 '살렘의 왕'이며, 이름은 '멜키세덱'이라 말한다. 그는 산티아고가 가진 양의 1/10을 주면 보물을 찾아가는 길을 가리켜 주겠다고 말한다. 그러면서 노인은 '자아의 신화'에 대해 설명했다. 자아의 신화는 산티아고가 항상 이루기를 소망하던 바로 그것이었다, 살렘왕은 "모두들 젊었을 때는 자아의 신화를 알게 된다. 그러나 시간이 지나면서 알 수 없는 어떤 힘이 신화의 실현을 불가능하게 한다." 라고 말했다. 또 살렘왕은 "이 세상에서 가장 위대한 진실이 있는데 그건 무언가를 온 마음을 다해 원한다면 반드시 그렇게 되는 것." 이라고 말했다. 하지만 대부분의 사람들은 그걸 모른다고 했으며, 사람들은 삶의 이익을 무척 빨리 배우고 그런 이유로 포기도 빠르다고 했다. 그러면서 '그게 바로 세상이고 인생이다'라고 했다. 산티아고는 선택의 기로에 섰다. 이미 익숙해져 있는 것과 가지고 싶은 것 중 하나를 선택해야하는 길목에서 고민하던 그 때 갑자기 바람이 세게 불어왔다. 산티아고는 어디로든 갈 수 있는 바람이 부러웠으며 자신도 그렇게 살고 싶었다. 자신을 떠나지 못하게 막는 건 자신 말고는 아무것도 없다는 걸 깨닫고 마침내 보물을 찾아 떠나기로 결심한다.

노인은 보물이 이집트의 피라미드 가까운 곳에 있다고 하며 NO를 뜻하는 흰색과 YES를 뜻하는 검은색 보석 2개를 준다. 보석은 앞날을 결정할 때 쓰는 것으로 진짜 원하는 것을 알려고 할 때 소용이 될 거라고 말했지만, 부득이한 경우가 아니면 스스로 결정을 내리라고 당부했다. 또 갈 때 마다 표지가 있으니 그걸 보고 따라 가라는 말도 잊지 않았다. 산티아고는 바다를 건너 '탕에렌'이라는 곳에 도착했다. 그곳에서 젊은 친구에게 사기를 당하여 가진 돈 전부를 잃고 빈털터리가 된다. 이제 그에게 남은 것은 배낭 안에 두꺼운 책 한권과 겉옷, 노인이 준 두 개의 보석뿐이었다. 낙담한 산티아고는 살렘왕의 보살핌이 자신에게 미치고 있는지를 알고 싶어 그 보석을 꺼냈다, 예를 뜻하는 검은 보석이 나왔다, 힘을 얻은 산티아고는 여행을 계속하기로 했다.

이어지는 여행에서 산티아고는 크리스탈 가게에 취직을 하고 창의적인 마케팅을 전개하여 매출을 올리기도 하고, 사막으로 가는 길에서는 전투가 벌어져 포로가 되기도 하고, 사막을 건너 도착한 오아시스에서 운명의 여인 파티마를 만나 즐거운 시간을 보내기도 하고, 영국인 연금술사를 만나 남은 여정을 같이 떠나기도 한다. 낙타 몰이꾼과함께 사막을 건너면서 연금술사들의 이야기가 담긴 책을 영국인에게빌려서 읽었다. 그들은 실험실에서 금속을 정제하는데 전 생애를 바친이들이었다. 연금술사들은 어떤 금속을 아주 오랫동안 가열하면 그 물질적 특성은 모두 발산 되어 버리고, 그 자리에서 오직 만물의 정기(精氣)만이 남고 그걸 통해 지상에 존재하는 모든 것을 이해할 수 있으리라 믿었다. 그런 연금술사들이 어디에 살고 있는지 물었지만 아무도 몰랐다. 그 때 산티아고 앞에 백마를 탄 검은 옷을 입은 기사가 나타난다. 그의 왼쪽 어깨에는 매가 한 마리 올라앉아 있고 위용이 대단했다. 그 기사가 연금술사였다.

오아시스에 살고 있는 연금술사는 그동안 수많은 사람들이 이곳을찾는 것을 보았고, 얼마 전에 대상 행렬 중에서 자신의 비밀 몇 가지를 가르쳐줄 사람이 있다는 걸 알아보았다. 그게 산티아고였다. 산티아고는 보물이 있는 곳을 가르쳐달라 부탁하지만 연금술사는 거절한다. "그대는 이미 모든 것을 알고 있으니 보물이 있는 방향으로 가도록 해줄 따름이다."고 했다. 연금술사는 "모든 것은 만물이 정기 속에새겨져 영원히 그기에 머물 것이니 뒤에 두고 온 것들을 생각지 말라."고 하며, 산티아고와 같이 자아신화의 여정에 동참을 해준다. 산티아고가 연금술사에게 마음에 대해서 질문하자 "그건 마음이 살아있는 증거이니 마음이 말하고자 하는 것에 귀를 기울이라."고 했다. 우리들은 어차피 마음으로부터 달아날 수는 없으니 귀담아 듣는 편이 낫다고 말했다. 피라미드에 가까운 지점에 도착했을 때 연금술사는 산티아고와 함께 한 수도승에 도착해서 연금술사는 납을 녹여 금을 4조각으로 만들어 수도승에게 한 조각, 산티아고에게 한 조각, 한 조각은 자신이 가지고, 남은 한 조각은 수도승에 또 주면서 산티아고가 필요할 때를 대비해서 맡겨 둔다고 했다. 그들은 거기에서 헤어진다.

산티아고는 드디어 피라미드 근처에 도착하고 모래언덕을 천천히 올라갔다. 장엄한 피라미드가 눈앞에 모습을 드러냈다. 그는 주저앉아 울음을 터뜨렸다. 그간의 여정이 고난, 절망 속에서 이루어 낸 성과였다. 이제 보물만 찾으면 더 이상 남은 목표는 없었다. 그가 눈물을 흘린 자리에 풍뎅이 한 마리가 지나가는 것이 보였다. 이집트에서는 풍뎅이가 신의 한 상징이라는 말이 있었고, 그는 이게 표지라고 생각하고, 풍뎅이가 지나간 자리에 모래를 파기 시작했다.

하지만 밤새 팠지만 아무것도 없었다. 바람이 불어 파낸 구멍으로 금세 모래가 쌓였다. 그 때 어디선가 병사들이 달려왔고 그의 몸을 뒤져 금 조각을 빼앗았고, 병사들은 모래 구멍에 금 조각이 더 있을 거라고 팠지만 더 이상의 금 조각은 없었다. 화가 난 그들은 산티아고를 두들겨 패고는 빼앗은 금 조각을 가지고 그대로 가 버렸다. 가기 전 그 병사의 우두머리는 산티아고에게 다시는 그렇게 바보처럼 살지 말라고 말했다.

그 자신도 오래 전에 그 자리에 보물이 있을 것이라 똑 같은 꿈을 꾼 적이 있다고 말했다. 그들이 떠난 후 산티아고는 간신히 몸을 일으켜 장대하게 서 있는 피라미드를 바라보았다. 피라미드는 조용히 미소 짓고 있었고 그도 피라미드를 향해 미소를 지었다. 그는 솟아오르는 기쁨으로 가슴이 터질 듯 했다. 산티아고는 자신의 보물이 이제 어디 있는지 온몸으로 느끼고 있었다.

이 소설에 등장하는 늙은 왕, 크리스탈 주인, 연금술사, 양, 낙타몰이꾼, 파티마(산티아고의 사랑하는 여인) 이들은 모두 산티아고가 자아의 신화를 이루는데 큰 표지가 되어 주었다. 산티아고는 기나긴 여정과 우여곡절 끝에 연금술사의 도움으로 자신이 찾길 원했던 피라미드의 앞에 도착했으며, 자아의 신화를 이루게 된다. 무엇이든 감성적이고, 감각적인 것에 익숙한 우리에게 꿈을 이루는 것은 물질과 명예가 아니라 착한 영혼을 가지고 부단히 노력하면 그 꿈은 이루어진다는 사실을 확인하는 글이었다.

첨언하면, 이 책의 제목처럼 산티아고의 여정에 가장 큰 표지가 되어 주었던 연금술사, 그들이 대단한건 쇠를 값비싼 금으로 만들어 주기 때문이 아니라, 우리들의 꿈과 의지가 두려움에 떨고 있을 때 이를 강하게 물리 칠 수 있도록 하는 담금질 때문이 아닐까? 왜냐하면 쇠는 두드릴수록 강해지는 법이니까. 그래서 작가는 자아의 실현이라는 말을 안 쓰고 일관되게 자아의 신화라는 말을 썼을 지도 모른다. 그리하여 아무리 커다란 시련이 우리를 막더라도 꿈과 용기를 가지고 한 걸음 한 걸음 내 딛는다면 꿈은 이루어진다는 희망을 우리 모두에게 던져 주면서, 산티아고와 함께 꿈을 따라 같이 뛸 것인지 주저앉을 것인지는 우리들의 몫으로 남겨 주었다. 피라미드의 보물과 함께…….

우리들의 일그러진 영웅

저자 이문열

【李文列 文學과의 첫 만남】

흔히 교양(敎養)이란 말로 가볍게 치부되는 예술(문학)작품의 감상 능력도 실은 고도의 수련(修練)과 그 습득(習得) 능력이다.

책 읽기, 특히 문학이라는 장르에 진지하게 다가서기란 말처럼 그리 쉬운 일이 아니며, 더구나 하루를 빠듯하게 보내는 직장인들은 더더욱 그렇다.

학창시절에 가졌던 독서습관도 직장이라는 울타리에 얽매이다 보면 여유로운 시간이 잘 나지도 않을뿐더러 어쩌다 쉬는 날에는 잠자기 습관, TV보기 습관, 술 마시기 습관으로 변화되기 일쑤고, 문학(文學)은 지적 허영내지는 시 건방 정도로 오해 받기 십상이다.

내가 이 책과 만난 것은 1987년 부산의 온천동에서 고단한 군대(전경)생활을 하고 있을 때였다. 제대라는 말은 아직 까마득한 전설로 생각되는 일경(일병) 때, 서면의 어느 서점에서 구입했었다.

아직도 생생히 기억한다. 노란색 표지에 11회 이상문학상 수상작품집(李箱文學賞 受賞作品集) 그 책속에는 김주영(金周榮)의 쇠 둘레를 찾아서, 이청준(李淸俊)의 흐르는 산, 전상국(全商國)의 썩지 아니할 씨,

최일남(崔一男)의 젖어드는 땅, 이승우의 못, 윤흥길(尹興吉)의 매우 잘 생긴 우산 하나, 문순태(文淳太)의 문신(文身)의 땅 등이 추천 우수작으로 수록되어 있었고, 이문열의 **우리들의 일그러진 영웅이 본상 수상작으로 선정**되어 있었다. 바로 그 책에서 이문열 문학과의 첫 만남이 이루어졌고, 소설이 주는 휘황한 감동을 처음 맛보게 한 것이 우리들의 일그러진 영웅이었다.

초등학교 5학년의 교실을 무대로 권력(權力)의 형성(形成)과 몰락(沒落)의 과정을 예리하면서도 섬뜩하게 그렸으며, 주인공 한병태가 엄석대 체제의 부정과 불합리에 저항하다가 끝내는 그 체제에 물들어 가는 과정의 묘사는 가히 압권(壓卷)이었다.

【권력(權力)의 부정적(否定的) 속성】

기원전 5세기 그리스 반도의 아테르타라는 도시 국가를 배경으로 한 '칼레파 타 칼라'와 신석기 시대를 배경으로 쓴 '들소'와 함께 '우리들의 일그러진 영웅'은 권력의 부정적 속성을 집중적으로 탐구(探究)하는 이문열의 대표작으로 볼 수 있다.

물론 '들소'의 주선율을 예술론적인 작품으로 분류하는 사람이 많지만 '뱀눈'의 권력 장악 과정과 그 이후 권력을 유지하는 방식은 철저하게 권력의 속성을 부정적으로 묘사(描寫)하고 있다.

'우리들의 일그러진 영웅'은 '엄석대'라는 카리스마적 인물이 급우들 위에 군림하면서 음모(陰謀)와 술수(術手)를 부리고, 급우들은 철저하게 굴종(屈從)에 길들여져 있으며, 자신들이 당하는 고통과 불이익(不利益)을 당연하게 생각하고 있었다. 일종의 노예상태와 별반 다르지 않은 상황이었다.

결론부터 설명하면 복종(服從)과 예속(隸屬)을 당연시 하는 집단 속에서 서울에서 시골학교로 전학 온 한병태의 외로운 저항(抵抗)은 결국 엄석대의 권위에 굴복(屈從)하게 된다. 그의 권위에 도전하면 할수록 엄석대는 급우들을 이용한 집단 따돌림, 이른 바 '왕따' 작전으로 한병태와 급우들의 연결고리를 철저하게 차단해 버린다.

급우들의 비겁하고 자기 보호적 권력 추종과 엄석대 권력의 우산아래 소외당하지 않기 위해 애쓰는 집단의 노예근성(奴隸根性)을 바탕으로, 엄석대의 부정적인 권력은 새로운 담임 선생님이 부임(赴任)하여 엄석대의 권력(權力)을 해체(解體)할 때 까지 유지(維持)된다.

교활(狡猾)한 독재자(獨裁者) 엄석대가 지배하는 초등학교 교실은 그 시대 한국 전체의 정치적인 상황과 너무나 흡사한 것이었다. 작가 이문열은 뛰어난 작가적 역량으로 폭력(暴力)과 음흉(陰凶)한 술책(術策)으로 유지되는 권력의 부정적 실상을 초등학교(初等學校) 교실을 배경으로 펼치어 보인 것이다.

【한병태와 엄석대의 헤게모니(hegemony) 쟁탈전】
아무에게도 저항 받지 않고 그 반을 지배해온 석대와 새로 전학 온 한병태의 헤게모니 쟁탈전은 전학 온 첫 날 자기자리로 부르는 엄석대의 호출을 거절하는 것으로부터 시작하여, 점심시간의 물 당번 사건, 시도 때도 없이 걸려오는 주먹싸움, 집단 따돌림, 각종 정보의 차단, (예컨대 아이들 딴에는 중요한 어떤 공터에 약장수가 자리 잡았고, 어디에 서커스단이 천막을 쳤으며, 공설운동장에는 언제 소싸움이 벌어지고, 강변에서는 언제 문화원의 공짜 영화가 상연 되는가 따위의 소식), 일제 고사 시험 부정행위 등에서 끊임없이 충돌했다.

그때마다 석대는 아이답지 않은 침착성과 치밀함으로 전면에 나서지 않고 멀찌감치 떨어진 곳에서 보이지 않는 손으로 배후조종(背後操縱)을 할 뿐이었다. 한병태를 그의 질서(秩序) 속으로 편입(編入)시키기 위한 음흉(陰凶)한 술책(術策)이었던 것이다.

주먹에서도 공부에서도 편 가르기에서도 패배한 한병태가 선택한 것은 엄석대가 부정한 방법(상위권 학생들의 대리시험)으로 취득(取得)한 시험성적(試驗成績), 급우들에 대한 폭력적(暴力的)인 행각(行脚) 등을 담임 선생님에게 일러바치는 것이었다. 하지만 여기에서도 선생님의 긴 훈시(訓示)만 듣고 물러날 수밖에 없었다.

익명(匿名)으로 엄석대의 비행(非行)을 백지(白紙)에 적어내게 한 방법(方法)을 담임 선생님에게 제시 하면서 은근히 기대했던 비행폭로(非行暴露)작전이 실패(失敗)한 것이다. 급우들이 적어낸 쪽지에는 오히려 엄석대의 비행(非行)대신에 그 자신의 자질구레한 비행(非行)들만

나열 되어 있는 것이었다.

　그 후 한병태는 모든 학교생활에서 급우(級友)들에게 철저하게 소외
당하고, 쓰디쓴 외로움을 혼자서 달랠 수밖에 없었다. 어리석은 다수
(多數) 혹은 비겁한 소수(多數)에 의해 짓밟힌 그의 진실이 모진 한(恨)
으로 남을 뿐이었다.

【굴종(屈從)의 단맛】

　한 학기 동안 계속된　석대와의 싸움에 지쳐가기 시작하며 괴롭게
반(班)을 겉돌고 있을 쯤, 굴복(屈伏)을 표시 할 수 있는 마땅한 기회가
찾아왔다.

　장학관(獎學官)의 순시가 예정된 전날에 대청소가 벌어진 날을 석대
의 눈에 들 수 있는 좋은 기회라 생각하고 자기에게 배당된 유리창 청
소를 열심히 했다. 담임선생의 절대적 신임을 바탕으로 평소 학급의
모든 일은 엄석대가 대신하였으므로 그날의 유리창 청소(淸掃) 검사권
(檢査權)도 당연히 석대에게 있었다. 신문지와 하얀 습자지의 순으로
입김을 호호 불어 가며 공을 들여서 열심히 창문을 닦았지만, 결과는
뜻밖이었다. 불합격(不合格), 그것도 무언가 알 수 없는 트집을 잡아
세 번이나 딱지를 놓은 것이다.

　넋 나간 사람처럼 창틀에 주저앉아 멀거니 뒷문 솔숲 사이로 멀어져
가는 석대와 아이들을 바라보며 이미 합격, 불합격은 내 노력에 달린
것이 아니라 석대의 마음에 달려 있다는 결론을 내린 순간, 저항을 포

기한 영혼, 미움을 잃어버린 정신에게서 흘러나오는 눈물은 걷잡을 수 없는 흐느낌으로 변해 창틀을 붙잡고 눈물을 쏟아 내었고, 그 눈물의 본질을 꿰뚫어 본 엄석대는 이제는 결코 뒤집힐 리 없는 자신의 승리를 확인하고 드디어 한병태를 외롭고 고단한 싸움에서 풀어준다.

너무도 허망하게 끝난 싸움이고 또한 그만큼 어이없이 시작된 굴종이었지만, 그 굴종의 열매는 달았다.

한병태가 그의 질서 안으로 편입된 게 확인되면서 석대의 은혜는 폭포처럼 쏟아진다. 한병태의 끈질기고 오랜 저항(抵抗)은 오히려 훈장(勳章)이 되어 여러 가지 특전(特典)으로 되돌아왔다.

가장 먼저 주먹싸움의 서열을 바로 잡아주었으며, 동무들과 놀이도 되찾아 주었고, 아무것도 아닌 잘못까지도 시시콜콜 물고 늘어지던 고발자(告發者)들도 자취를 감추었고, 학업성적(學業成績)도 겨울방학 전의 일제고사에서 2등을 되찾았다.

석대는 한병태에게 의무(義務)를 지우거나 무엇을 강제(强制)하지도 않았다. 그가 바라는 것은 오직 그의 질서에 순응하는 것, 그리하여 그가 구축해둔 왕국을 허물려들지 않는 것뿐이었다. 엄석대의 질서와 왕국이 정의(正義)롭지 못한 것임이 분명하지만 이미 자유(自由)와 합리(合理)의 기억을 포기(抛棄)한 한병태 에게는 꿀맛처럼 달콤하게 느껴질 뿐이었다.

【왕국의 붕괴(崩壊)】

엄석대의 왕국(王國)은 6학년으로 올라가면서 사범학교(師範學校)를 나온 지 몇 해 안된 젊은 담임선생이 부임 하면서 흔들리기 시작한다.

급장선거에서 뭔가를 의심하던 담임은 한병태가 첫 일제고사 시험 전교1등의 결과를 내자 드디어 문제의 핵심으로 들어갔다. 부정한 방법으로 전교1등을 차지한 엄석대의 비밀을 알아차린 담임은 굵은 매로 학우들이 보는 앞에서 엄석대의 거짓 왕국을 사정없이 내려친다.

지금까지 각종 시험에서 번갈아 가며 자신의 이름을 지우고 딴 이름을 써서 낸 반의 우등생들도 불러내어 모진 매질을 하고, 교실은 한바탕 울음바다가 된다. 한 사람 앞에 열 대씩 호된 매질을 하고 난 후 담임선생이 그들에게 한 말씀은 지금에 와서 다시 한 번 되새겨 봐도 명언이고, 잠언이다.

"나는 되도록 너희들에게는 손을 안 대려고 했다. 석대의 강압에 못 이겨 시험지를 바꿔준 것 자체는 용서할 수 있었다. 그러나 그 동안 너희들의 느낌이 어떠했는가를 듣게 되자 그냥 참을 수가 없었다. 너희들은 당연한 너희 몫을 빼앗기고도 분한 줄 몰랐고, 불의(不義)한 힘 앞에 굴복(屈伏)하고도 부끄러운 줄 몰랐다. 그것도 학급의 우등생(優等生)인 녀석들이......, 만약 너희들이 계속해 그런 정신으로 살아간다면 앞으로 맛보게 될 아픔은 오늘 내게 맞은 것과는 견줄 수 없을 만큼 클 것이다.

그런 너희들이 어른이 되어 만들 세상은 상상만으로도 끔찍하다......"

【진심(眞心) 또는 오기(傲氣)】

담임선생은 그릇된 지날 날을 청산(淸算)하기 위해 차례로 아이들을 불러내어 그동안 석대의 비행(非行)을 고발(告發)하게 했다. 담임선생의 말을 듣고는 모두들 봇물처럼 석대의 비행(非行)을 말했지만 한병태의 대답은'저는 잘 모릅니다.'였다.

석대가 쓰러진 걸 보고서야 덤벼들어 등을 밟아대는 학우들의 고발 태도 때문에 생긴 일종의 오기(傲氣)였다. 한병태가 그렇게 혼자서 힘겹게 저항하고 있을 때 그들은 하나같이 침묵했고, 오히려 대리시험(代理試驗)으로 석대가 그전 담임선생의 믿음과 총애를 훔치는 걸 돕거나 석대의 보이지 않는 손발이 되어 그의 불의한 질서가 학급을 지배하도록 도와준 '미필적 고의(未必的 故意)'의 혐의(嫌疑)가 그들에게 있었기 때문이었다.

곧이어 취루어진 급장 재선거에서도 한병태는 무효표를 던졌다.

석대의 나쁜 짓을 까발리고 들춰내는 데 가장 열성적이고 공격적인 아이들은 대개 두 분류였다. 하나는 간절히 석대의 총애를 받기 원했으나 이런저런 까닭으로 끝내는 실패한 부류였고, 다른 하나는 그날 아침까지도 석대 곁에 붙어 그 숱한 나쁜 짓에 그의 손발노릇을 하던 부류(部類)였다. 한 인간이 회개(悔改)하는데 꼭 긴 세월이 필요한 것은 아니며, 백정도 칼을 버리면 부처가 될 수 있다고도 하지만, 아무래도 그들의 갑작스런 정의감(正義感)이 미덥지 않은데서 오는 오기(傲氣)였다. 한병태의 눈에는 쓰러진 엄석대에게 덤벼드는 학우들이 교활(狡猾)하고도 비열한 변절자로밖에 보이지 않았던 것이다.

【우리들의 엄석대】

한병태의 의식표면(意識表面)에 엄석대가 다시 떠오르기 시작한 것은 명문대학을 졸업하고 대기업에서 잘나가던 그가 어떤 모험사업의 대리점에 손을 잘못대어 삶에 실패하면서 부터였다. 실업자(失業者)가 되어 한 발 물러서서 보니 세상이 한층 잘 보였다.

재수(再修)마저 실패하여 따라지 대학으로 낙착(落着)을 보았던 친구는 어물쩍 미국박사가 되어 제법 교수티를 냈고, 모레위의 궁궐(宮闕) 같이만 느껴지던 대기업은 점점 번창(繁昌)하기만 했고, 거기 남아 있던 옛 동료들은 계장으로 과장으로 올라가 반짝반짝 윤기가 돌았다.

갑자기 낯선, 이상한 곳으로 전학(轉學)을 온 듯한 느낌을 가지게 된 것은 그 무렵이었다. '이런 세상이라면 석대는 어디선가 틀림없이 다시 급장이 되었을 것이다.'라고 그는 단정했다. 공부의 석차도 싸움의 순위도 그의 조작에 따라 결정되고, 가짐도 누림도 그의 의사에 따라 분배되는 어떤 반, 때로 그는 운 좋게 그 반을 찾아 내 옛날처럼 석대 곁에서 모든 걸 함께 누리는 그런 꿈을 꾸곤 했다. 그때 그의 관심은 마뜩지 못한 그들의 성공 과정이나 그걸 가능하게 한 사회구조가 아니라 그들이 누리고 있는 그 과일 쪽이었다.

적당히 사회의 물결을 타고 성공한 그들의 풍성한 식탁 모퉁이에 끼어들고 싶었던 것이다. 이따금씩 만나는 초등학교(初等學校) 동창(同窓)들의 입에서 석대의 속된 성공(고향의 중앙 통을 돈으로 휩쓸고 감) 이야기를 들었지만 우리들의 석대는 그렇게 작아서는 안 된다고 생각했다.

　그렇게 속된 성공으로 그쳐서는 이미 실패의 예감(豫感)이 짙은 그의 삶을 해명할 길이 없어지고 마는 것이었다. 또 우리들의 석대는 그렇게 쉽게 그의 힘과 성공이 눈에 띄어서도 안 되었다. 보다 은밀하고 깊은 곳에 숨어 지금의 이 반(班)을 주물러대고 있어야 했고, 그래서 내가 자유(自由)와 합리(合理)의 기억을 포기하기만 하면 다시 그의 곁에 불러 앉혀 주어야 했다.

　그러나 다행이도 실제 세상은 그때의 그의 반과 꼭 같지는 않았고, 일류대학과 거기서 닦은 지식이 남아 있어 그는 사설학원(私設學院)의 강사(講士)로 새 출발을 할 수 있었다.

【한병태의 눈물의 의미】

　학원 강사로 그럭저럭 살아가던 그가 실제 엄석대를 다시 만난 것은 여름휴가지의 어느 기차역이었다. 사복형사(私服刑事)들에게 잡혀가는 엄석대의 초라한 모습을 우연히 보면서 비통한 마음으로 눈을 감는다. 삶에 실패한 한병태는 석대가 대단한 인물이 되어 있을 거라고 기대하였는데 그날의 석대는 26년 전의 교탁위에서 팔을 들고 꿇어앉아 있던 바로 그 모습이었다.

　몰락(沒落)한 영웅(英雄)의 비장미(悲壯美)도 뭐도 없는 초라하고 무력(無力)한 우리들 중의 하나의 모습으로 그의 앞에 나타난 것이었다. 그날 밤 한병태는 잠든 아내와 아이들 곁에서 늦도록 술잔을 비우며 눈물까지 두어 방울 떨군다. 여기서 흘린 그의 눈물의 의미는 무엇 이었을까?

　엄석대가 지배했던 학급의 부정적 상황과 부정과 비리가 횡행하고 기회주의자들이 득세하는 지금의 현실(現實)이 너무나 닮았음에 흘리는 비관(悲觀)의 눈물이었을까? 아님 이제 합리화의 기억을 포기(抛棄)해도 다시는 자신을 구원해줄 영웅이 없는, 그리하여 실패의 예감이 짙은 한병태 자신의 삶의 상실감(喪失感)에서 오는 눈물이었을까? 소설(小說)의 마지막 장면(場面)을 통해 작가 이문열은 한병태의 눈물의 의미를 다음과 같이 이야기 한다.

　『그날 밤 나는 잠든 아내와 아이들 곁에서 늦도록 술잔을 비웠다. 나중에는 눈물까지 두어 방울 떨군 것 같은데, 그러나 그게 나를 위한 것이었는지 그를 위한 것이었는지, 또 세계와 인생에 대한 안도에서였는지 새로운 비관에서였는지 지금에 조차 뚜렷하지 않다.』

나무를 심은 사람

저자 장 지오노

『나무를 심은 사람』이라는 이 조그만 책의 신비스럽고 아름다운 내용을 말하기 전에 얼마 전 아이들과 함께 본 다큐멘터리 영화 『지구』에 대해서 먼저 이야기를 해야겠다.

약 46억 년 전에 한 행성이 지구와 충돌하면서 지구는 태양을 향해 23,5도 기울어졌고, 이 커다란 충돌 사건은 말 그대로 큰 기적을 낳았으며 그 기적의 바탕위에 생명이 존재할 수 있는 완벽한 조건을 갖춘 지구가 탄생된다.

아프리카 코끼리, 흑등고래, 북극곰 등 지구에 살고 있는 수백만 생명체들은 매년 태양을 따라 멀고도 긴 여행을 반복한다.

지구의 아름다운 대자연의 평화를 만끽하면서 수천, 수만 년 동안 반복적으로 계속 이어 온 여행이다.

하지만 지구의 온난화로 인하여 점점 빨리 녹는 북극의 바다 얼음, 점점 넓어지는 아프리카의 사막, 그리고 인간의 탐욕과 오만으로 자연환경과 생태계의 균형은 어느새 무지지고, 먹이와 보금자리를 찾아 남쪽의 대양 사이를 오직 살아남기 위한 생존의 힘겨운 횡단을 하는 동물 가족들을 보면서 인간의 탐욕과 무관심으로 오염되고 병들어 가는 대지위에 동, 식물들의 서식지가 파괴되어 결국은 인간의 보금자리마저 위협받는 우리 지구의 환경을 더 이상 방치해서는 안 된다는 절박한 생각을 갖게 해주는 교훈적인 영화였다.

우리가 잘 알고 있는 것처럼 생물 중에서 특히, 식물은 동물의 호흡에 필요한 산소를 만들어 주고 동물들이 호흡할 때 내뿜는 탄산가스를 흡수한다. 녹색식물은 태양으로부터 빛 에너지를 이용하고 공기로부터는 탄산가스를 그리고 토양으로부터는 물을 흡수하여 동물들의 호흡에 필요한 산소와 영양물질을 만들어 내는 소중한 생명의 보고(寶庫)다.

이번에 내가 읽은 『나무를 심은 사람』이라는 비교적 짧은 내용의 이 책은 한 젊은이가 폐허처럼 보이는 프랑스 고산지대(프로방스)의 마을에서 한 양치기 노인을 만나면서부터 시작된다.

젊은이는 우연히 그 노인의 집에서 하룻밤을 지나게 되고, 그 다음날 노인이 황무지에 나무를 심는 것을 지켜보게 된다. 모든 것이 궁금해진 젊은이는 노인에게 나무를 심은 지는 얼마나 되었으며 나이와 이름은 무엇인지 물어 보았고, 노인은 어언 3년이 다되어간다고 말하였으며 그의 이름은 엘제아르 부피에 라고 덧붙인다.

젊은이는 사람이 살 수 없는 이런 황무지에 나무를 심는 부피에라는 노인이 얼른 이해가 되지 않았고, 며칠 후 그 마을을 떠나게 된다.

그 후 전쟁이 터지고 젊은이는 5년 동안 전쟁터에서 싸웠고 제대 후 젊은이는 전쟁이 주는 살벌함과 잔혹함을 피해 다시 부피에가 살던 황무지 마을을 찾아 떠나게 되었다. 젊은이가 마을에 도착했을 때 믿을 수 없는 일이 눈앞에 펼쳐져 있었다.

　그 마을은 더 이상 10년 전의 황무지가 아니었다. 울창한 나무들은 어느새 빽빽하게 자라 있었고, 사람들로 북적이는 마을로 되어 있었다. 아무도 알아주는 사람이 없었지만 부피에 노인은 묵묵히 자기의 이익이 아니라, 모두의 공동의 선(善)을 위해 헌신적인 나무 심기를 계속하고 있었던 것이다. 그의 헌신과 봉사 덕분에 황무지는 생기로 충만한 숲의 바다로 재탄생되었고 마을 사람들은 희망과 행복을 되찾게 되었다.

　그 후로도 오랫동안(30년) 젊은이는 적어도 일 년에 한번 씩은 부피에 노인을 찾아가서 나무 심는 모습을 지켜보았다. 고산지대의 작은 황무지에서 시작된 양치기 노인의 나무 심기는 어느새 국민적인 관심사항이 되었으며, 푸른 숲 만들기는 희망의 바이러스가 되어 전국적으로 퍼져 나갔다. 울창한 숲에서 나오는 깨끗한 공기와 계곡에서 흘러나오는 맑은 물은 불과 10여 년 전의 황폐하고 낙후된 고산지대의 작은 마을에서 각계각층의 사람들이 찾아오고 이주해오는 친환경적인 마을로 변모시킨 것이다. 오직 고집스럽게 한그루 한그루씩 나무를 심을 부피에 노인의 작지만 큰 실천이 인간을 비롯한 각종 생명체들이다 같이 생존하는 행복한 마을로 변모시킨 것이다.

다큐멘터리 영화 지구에서 보았던 것처럼 지구 환경의 오염으로 코끼리, 흑등고래, 북극 곰 등이 더 이상 생존을 위한 힘겨운 여행을 하지 않아도 되는 방법은 북극의 큰 바다나 남극의 대양에서 찾을 것이 아니라 부피에 노인이 그랬던 것처럼 **작은 것부터 실행하는 자연 사랑의 실천**이 아닌가 생각되었다. 왜냐하면 그들과 우리 인간은 자연을 떠나서는 하루도 살 수 없는 똑 같은 생명체이기 때문이다.

이 책을 읽은 후 나는 몇 십 년 동안(평생) 나무를 심으며 꿋꿋이 하나의 산을 만드는 양치기 노인의 정신에 큰 감명을 받았다.

사실은 나무를 심는 것처럼 정성이 드는 일도 없다. 묘목의 뿌리가 다치지 않게 옮기는 것부터 시작해서 가꾸고 성년으로 자라날 때 까지 물도 주고 보살펴야 하는 것이 마치 자식 키우듯 해야 하니 말이다. 이 시간 이후부터라도 묵묵히 나무를 심고 가꾸었던 부피에 노인처럼 나도 매사에 신중하고 정성을 다하는 마음으로 자녀사랑과 교육에도 힘 쓸 생각이다. 그리하여 대지에 새순이 나고 꽃이 피고 열매가 맺을 때 까지 헌신적인 나무심기를 계속한 부피에 노인 같은 정성으로 자연 환경 보존과 자녀사랑 두 가지 모두를 실행하고 실천해야겠다는 작은 다짐을 해 본다.

아침의 문

저자 박민규

이상문학상(李箱文學賞)은 요절한 천재 작가 이상(李箱)이 남긴 문학적 업적을 기리며, 매년 가장 탁월한 소설 작품을 발표한 작가들을 선정 표창하고, 그 작품집을 발행하는 등 짙고 강렬한 소설 미학의 향기(香氣)와 감동(感動)을 주는 문단의 큰 잔치이다. 한 때 나는 연초(年初)가 되면 선정된 작품집을 구입하기 위해 동네 서점을 기웃거리곤 했다.

어느 겨울날 야간 근무를 마치고 퇴근길에 서점에 들러 그해 32회 이상문학상에 선정(選定)된 책의 앞 페이지 몇 장을 읽어내려 가다가 기괴(奇怪)한 느낌을 받았다. 두 번째 페이지를 넘기자 "나는 한동안 멍하니 변기에 앉아있다. 뒤를 닦기도 귀찮다. 별 생각도 없이. 나는 자위를 시작한다. 다리를 벌리고 선 잡지의 여자 때문이 아니다. 말하자면 나는, 오히려 천장을 보고 있다. 형광등... 그렇다. 형광등이 보인다.", 세 번째 페이지에 "지금 내 방에 누워 있는 세 구의 시신이 전부일 것이다." 등 이상(李箱) 문학상 대상(大賞) 수상작의 내용이 초반부터 뭣이 이렇게 해괴망측(駭怪罔測)한가?

그 즈음 뉴스에서는 청소년들의 동반자살 문제가 사회적 이슈가 되면서 연일 보도되고 있었고, 그해 대상 수상작인 박민규 작가의 『아침의 문』이 그러한 문제를 정면으로 다루고 있다는 느낌이 들었다. 서둘러 책을 구입했다.

이 책은 구성이 좀 특이했다. 기사문(記事文) 또는 보도문(報道文)의 전유물인 6하 원칙 형식을 소설(小說)에 도입한 것이다. 『언제, 어디서』, 『누가, 무엇을』, 『어떻게, 왜?』, 『만일, 하물며』등 의 소제목을 육하원칙으로 달아서 소설을 진행시켰다.

(언제, 어디서)

일명 '천국으로 가는 계단'의 카페 공간에서 리드격인 'JD'와 '나' 둘만의 만남으로 시작했지만, 하나 둘 늘어난 회원 수가 스무 명을 넘게 되었다. 하지만〈빅 데이〉날에는 여섯 명만 모였고, 그중 둘은 돌아갔으며, 네 사람은 실행에 옮겼고, 세 사람은 성공을 했다, 나는 살아남았다. 이유는 알 수 없다.

작중 화자인 '내가' 살아, 괴로운 몸을 일으킨 것은 다음날 나의 방안의 아침이었다.

"지금 내 방에 누워 있는 세 구의 시신이 전부일 것이다. 독촉이라도 하듯, 다시 배가 고파온다."며 변기까지 기어가 몇 번이고 토를 하고, 다시 기어와서 JD와 두 명의 여자아이들 이마를 짚어봤다. 그들의 이마는 눈사람처럼 차갑고 서늘했다.

"재수가 없었다는 것. 늘 그랬다. 재수도... 재주도 없었던 인생...".

깨어나서 한 '나'의 말이다. 그는 오층 건물의 옥상 방을 내려가서 건너편 편의점으로 향했다.

편의점에서 비스킷을 먹고 우유를 몇 모금 마시다가 나가서 토를 했다. 담배와 순간접착제를 사고 거스름돈을 받을 때 편의점 여직원이 물었다.

"괜찮으세요?"

"뭐가... 요?"

"아까 저기서 토했잖아요?"

여기서 작중화자인 나는 신기하다고 생각한다. 남에게 관심을 가지는 인간이 다 있다니. 언제부터 인간이 남에게 관심을 가졌다는 걸까. 묘하게 살찐, 눈 앞의 인간을 향해 싱긋이 괜찮다는 표정을 지어준다.

"아, 그거 제가 치우고 갈게요."

"아니, 그런 얘기가 아니구요." 놀란 그녀가 답했다.

둘의 대화는 그 뿐이었다.

'나'는 재래식 상가가 이어진 골목을 걸어오면서 보일러를 틀어뒀다는 사실을 깨닫고 실수였을까... 아니면 실례였을까? 이를테면 푹 익는다거나, 빨리 썩는다는 그런 문제... 그에 반해 그래도 가는 길이 따뜻해야지, 상반된 두 개의 감정 사이에서 잠시 흔들린다. 끝끝내 삶은 복잡하고, 출구는 하나라고 생각했다. '어떤 우아함과도 예의와도 어울릴 수 없는 문을, 나 역시 열고 들어서는 것뿐이다'라며 사흘 전 다섯 명의 인간이 함께 올랐던 비상계단을 오르며 내 방으로 돌아왔다.

(누가, 무엇을)

편의점에 근무하는 그녀는 지금 창고에 들어와 앉아 있다. 손님이 없는 새벽이고, 설사 누가 온다 해도 벨소리를 듣고 나가면 된다는 생각이다. 압박붕대를 끄르고 휴, 기나긴 숨을 내쉰다. 쏟아지는 아랫배를 두 손으로 감싸 쥐고 그녀는 그저 멍하니 앉아 있다. 그녀는 원치 않는 임신을 시킨 남자친구의 폭력에 시달리며, 부른 배를 감추기 위해 붕대를 배에 둘러 감고 편의점 알바를 하고 있다. 아이를 임신한 그녀에게 남자친구는 폭행을 일삼고 저주의 막말을 했다. 머리채를 잡히고 폭행을 당하면서 인간의 탈을 쓴 괴물이라 생각했다.

『이 세상은 주민등록증을 가진 괴물, 학생증이며 졸업증명서 명함을 가진 괴물들이 가득하다는 사실도 알게 되었다. 그래도 그 전까지 그녀가 생각했던 인간의 범주란 게 있었다. 이제 그녀는 변했다. 인간의 범주가 얼마나 넓은 것인가를, 머리채를 잡히고 폭행을 당하던 바로 그 순간 똑똑히 알게 되었다.』

그러한 그녀에게 가족이라고 별것이겠는가? 그녀에게 있어서 가족은 너그러우면서도 무자비한 존재... 간섭이 지독하나 실은 딸에 대해 무엇 하나 아는 게 없는 인간들이었다.

"한집에 살면서 서로 괴물이라 부르긴 좀 그렇잖아? 그래서 만들어 낸 단어가 가족" 이라고 그녀는 생각했다. 억울함과 분노 끝에 비소로 깨닫게 된 것이다.

차일피일, 누구에게도 말할 수 없는 고통의 시간이 지나갔다. 진통이 시작된 이 순간까지 그녀는 사실을 숨기거나 외면해왔을 뿐이다. 그녀는 울부짖었다. 이제 무엇을, 어떻게 해야 할지 몰라 우는 것이다. "존나... 씨발, 하고 그녀는 어금니를 깨물었다. 그녀는 억울했다. 도대체 왜, 이런 고통을 당해야 하는지 분노가 치밀었다. 원치 않았던 것, 나와는 상관없는 것이 나를 아프게 한다는 사실이 견딜 수 없었다.

그녀는 다짐했다. 이제 다시는 속지 않는다고, 그리고 다시 새 출발을 하겠다고, 나만 손해를 볼 순 없다고 그녀는 생각했다. 진통이 멈추었을 때 그녀는 식은땀을 흘리며 눈물을 닦고 다시 계산대에 앉았다. 잠시 상상을 해봤다.

"소변이 마려워 화장실에 갔는데 갑자기 똥이 쑤욱 하고 쏟아진다. 생각 없이 물을 내리고, 그녀는 배가 꺼졌다는 사실을 알게 된다. 시원하게 물이 내려가는 소리, 그리고 변기엔 아무것도 남아 있지 않다. 정말 똥이라고 생각했어요. 난 정말 아무것도 모르고... 그럴 수만 있다면 얼마나 좋을까."라고 상상을 해봤다. 물론 그런 일이 일어날 리 없지만, 그녀는 약간의 위안을 얻었다.

아침이 되어 점장이 출근을 하고 잔소리를 늘어놓았다. 찢어질 듯 배가 아픈 건 그 때문일지도 모른다고 생각을 했다. "저런 놈이랑 사는 년은 어떨까? 분명 돈 보고 결혼했겠지... 미친년" 하고 그녀는 얼

굴도 본 적 없는 점장의 부인을 향해 마음속의 욕설을 퍼 부었고 바람
이 서늘한 아침에 퇴근을 한다.

　식은땀을 흘리며 골목길을 걸어가던 중 이상함을 느꼈다. 인터넷으
로 알아보았을 때 예정일은 아직 2주가 남아 있었는데 뜨거운 물 같
은 것이 줄줄 다리를 적시기 시작했다. 그녀는 걷고 또 걸었다. 걷잡
을 수 없이 쏟아지는 물을, 허벅지를 타고 뚝뚝 떨어지는 뜨거운 액체
를 바라보며 오열했다.
　그녀는 허름한 건물의 어두운 2층 계단으로 올라갔다. 하지만 화장
실은 잠겨 있었고 결국 옥상으로 열린 낡은 철문을 힘겹게 밀고 들어
가서 커다란 정화조의 뒤쪽 공간으로 숨어들었다. 붕대를 풀고, 그 붕
대를 대충 깔고 주저앉았다. 혹이 아파 쓰러지는 낙타처럼.

　(어떻게, 왜?)
　"누워 있는 세 사람과, 머리맡에 놓인 정갈한 유서를 바라본다. 아직
까지는 김밥의 시체가 인간의 시신보다 더 냄새를 풍기는 아침이다.
마당에는, 그러니까 옥상에는 누군가가 설치해놓은 샌드백이 걸려 있
었다. 그곳이라면 하고 나는 깊이 연기를 빨아드린다. 마치 오래전부
터 짜여진 계획 같다."
　'나'는 한 번의 자살 실패에도 불구하고 죽어야만 이유를 계속 들어
가며 두 번째의 자살을 시도한다.

이제 곧 또 다른 세상을 보게 되리라고 스스로를 다독이면서 '나' 는 압박붕대의 매듭을 다시 한 번 확인하고 넥타이 속으로 슬며시 머리를 넣어봤다. 눈을 감고 매듭의 끝을 살짝 당겨 봤다. 부드럽고 따뜻한 감촉을 느꼈다. 결국 여기까지 오고 말았다. 타이를 풀고 마지막 담배를 꺼내 무는 그 때, 똑똑똑똑, 성급히 문을 두드리는 소리가 들렸다. 환청일까 하고 생각해봤지만 창 쪽을 통해 누군가가 방안을 기웃거리고 있었다. 부동산의 영감이었다.

"여가 내년부터 재개발 들어가거든. 그라이 쉽게 말하믄..." 어쩌고 저쩌고하는 서류에 '나' 는 두말없이 사인을 해주었다. 부동산 영감은 쪽지를 한 장 더 꺼냈다.

"이달부터 월세를 이 통장으로 여 달라꼬."

"왜요?"

"지금 내가 이혼하게 생깄거든. 전에 통장이 마누라가 손대던 긴데... 혹시나 해서 말이다."

"나는 고개를 끄덕인다."

"사는 기 참 글타, 그쟈"

"나는 웃는다."

"하이고 마, 그래도 살아야지 우짜겠노."

『확 의자를 빼서 영감쟁이의 머리를 뽀개고 싶다는 생각이』들었지만 묵묵히 참았다.

"방은 따시제?"

"예."

방은 따뜻했다. 영감이 가고 난 뒤 '나'는 통로 쪽 문에 빗장을 걸어 이제 더는 누구도 이곳을 찾지 못하게 하고 상황을 정리하기 시작했다. 가능한 가지런히 짐들을 모아놓고, 쓰레기를 대충 봉투에 쓸어 담았다. 붕대를 챙기고 신발을 신을 때 먼저 죽은 여자의 두 줄의 짧은 유서를 읽어 본다.

"엄마 미안해요, 그리고 감사했어요."

뭐가 미안한 걸까. 그리고 왜, 감사한 걸까? 하면서 유서를 제자리에 놓았다.

이윽고 '나'는 의자를 밟고 서서 철제의 고리에 붕대를 감고 잠시 지나온 삶을 돌이켜 봤다. 서른두 살, 두 달 전에 건강상의 이유로 택배 일을 그만두고 스스로 각종 암에 걸려 있다고 믿었으나 그 무엇도 확실하지 않은 말도 안 되는 논리의 내 삶은... 그리고 보니 삶이란 게... 실제로 그런 일이... 있었나 싶기도 하고. 하지만 자살의 진짜 이유는 따로 있다. 나는 그것을 절대 입 밖으로 꺼낼 수 없다고 독백하며 축 늘어진 타원형의 문(넥타이)을 열고서 '나'는 머리를 집어넣는다. 바람이 분다.

(만일, 하물며)

붕대의 끝을 뭉쳐 그녀는 자신의 입을 막고 있었다. 아니면 벌써 어금니가 작살났을 거라 생각하면서. 그녀가 지금 할 수 있는 것은 세

가지다. 이를 악무는 것, 힘을 주는 것, 그리고 끝없이 욕을 하는 것...
그녀가 아는 것은 한 가지다. 난 아무 잘못도 하지 않았다고. 옥상의
바람만이 이마의 땀을 식혀주며 그녀의 출산을 돕고 있었다.

붉게 부푼 타원형의 문이 열리고 지금 막 머리를 내민 무언가를 그녀
는 만져봤다. 어금니가 물고 있는 붕대의 끝에서 피 맛이 감돌기 시작
했다. 그녀는 잠깐 하늘을 보고, 눈을 감고, 다시 하늘을 보기를 반복
했다.

그 시간 '나'는 목에 붕대를 감은 채로, 그러나 여전히 의자를 딛고
선 채 보고 하늘을 보고 있었다. 끝으로 자신이 살아온 세상을 두 눈
에 담아보고자 했을 뿐이다. 그 때 건너편 옥상위에 다릴 벌리고 누워
있는 그녀를 볼 수 있었다. 처음엔 눈을 의심했지만 칙칙한 문틈으로
머리를 내민 무언가를 볼 수 있었고, 불쑥 튀어나오는 머리를 그만 보
고 말았다. 이상하리만치 선명한 눈코입과, 얼굴을 볼 수 있었다. 서
로의 문 밖으로 얼굴은 내민 채 『이곳을 나가려는 자와 그곳을 나오려
는 자는』 그렇게 서로를 대면하고 있었다. 얼마간의 시간이 지나고 문
을 열고 나오는 무언가를 볼 수 있었다. 쏟아지듯, 혹은 엎질러지듯
나오는 팔, 다리에 이어서 아주 작은 손가락과 발가락을 멀리서도 볼
수 있었다.

이윽고 그녀는 겨우 정신을 수습하기 시작했다. 입속의 붕대를 꺼내
고. 이마의 땀을 닦기 시작했다. 아이가 울고 있었다. 그녀도 흐느끼
기 시작했다. 하지만 그녀는 덜컥 겁이 났다. 지금껏 느껴온 공포와는

또 다른 성질의 공포가 지친 그녀를 범하기 시작했다. 아이를 쳐다볼 용기가 나지 않았다.

그러나 그녀는 결국 아이를 바라본다. 그리고, 안아 든다. 그녀는 아이가 귀엽다는 생각을 잠시, 바람이 스치듯 잠시 하고는 사람이 올지도 모른다는 두려움에 아이를 한 번 더 바라보고는 어딘가 숨길 곳을 찾아 두리번거렸다.

야!

그 때 건너편 옥상의 남자 '나'로부터 울음이 섞인 고함이 들려오고, 그 소리에 놀라 아이를 떨어뜨릴 뻔 했다. 그녀가 본 것은 목을 매달고 선 한명의 남자였다. 누군지 알 수 없는 낯선 인간이고, 무슨 짓을 할지 모르는 이상한 인간이다. 아이를 떨구지 않은 대신 그녀는 자신을 떨구듯 바닥에 주저앉았다. 그리고 곧장 반문했다.

뭐?

그 소리에 남자는 자신도 모르게 자살용 넥타이를 풀고 쥐가 온 듯한 왼쪽 다리를 질질 끌며 굳게 잠근 통로의 걸쇠를 풀고 그녀에게 달려갔다. 남자가 사라지는 모습을 보고 그녀는 아이를 붕대 위에 내려놓고 도망치기 시작했다. 어느새 그는 여자가 있던 옥상으로 올라왔지만 여자는 보이지 않았고, 널브러진 붕대위에 방치되어 있는 아이를 보았다. 주섬주섬 붕대를 모아 아이의 몸을 덮어주고, 매달린 태반을 어찌지 못해 통째로 안아 올렸다.

『바닥의 콘크리트보다도 무뚝뚝한 인간이지만 , 적어도 콘크리트보다는 따뜻한 인간이기 때문이다. 그는 계속 그러고 있을 뿐이다. 다른 아무것도 해줄 생각이 없으면서 하물며 그 인간은 아이에게 울지 말라고 속삭였다.』

우리는 언제부터 이렇게 삭막하게 살게 되었을까? 아등바등 서로에 대한 정도 없이 그저 자신만을 위해서 스스로의 울타리에 갇혀서 말이다. 이 책에서 작중 화자인 '나'는 자기가 왜 죽으려고 하는지는 물론이고 다른 사람이 왜 죽으려고 하는 것인지조차 알려고 하지 않는 무관심주의자다. 이 소설의 등장인물 '나'와 '그녀'는 이러한 무관심과 사회적 냉대 속에 상처받은 영혼의 상징으로 표출된다. 그나마 다행인 것은 허약하고 무방비 상태의 생명을 구하기 위해 제 목을 조르던 넥타이를 풀고 버려진 아기를 구하기 위해 달려가는 장면에서 "하이고마, 그래도 살아야지 우짜겠노." 라고 한 부동산 영감의 말처럼 작가는 이러니저러니 해도 우선은 삶을 이어가는 것이 맞다 고 말하고 싶은 것이 아니었을까 생각한다.

불행한 가족사, 재수도 재주도 없이 무능했던 과거, 하루하루 택배 알바로 비루한 삶을 이어가던 '나', 남자친구의 성폭행과 이로 인한 원치 않은 임신, 가족으로부터의 냉대, 어디 한곳이라도 의지 할 수 없게 된 자아(自我)는 극단의 선택과 버림으로 내몰렸다. 냉대와 무시, 무관심과 학대는 인간이라는 괴물이 한 짓이다. 적어도 두 사람 자아의 세계에는 그렇게 자리 잡고 있다. 남자친구도 괴물이고 심지어 가족도 괴물이었다. 어쩌면 이러한 사실들이 우리들 삶의 우울한 진실인지도 모른다. 그래서 작가는 '나'와 '그녀'를 둘러싸고 있는 괴물에서 벗어나기 위해 죽음이라는 극단의 선택으로 표현하고 싶었는지도 모른다. 우리가 모른 척 회피하고 살아가는 우리 삶의 심연(深淵)을 확인하고, 억지로라도 희망을 애기해볼 수 있는, 그리하여 삶이 시작되는 아침에 자살을 선택한 사람과 축복받지 못한 생명이 서로의 문을 열고 대면하는 극적인 장면 연출에서 괴물 같은 삶의 상태를 극적으로 반전시키고 싶은 희망 말이다.

추락하는 것은 날개가 있다

저자 이문열

"좋소 임형빈씨. 무엇이든 마음 내키는 대로 말씀해 주십시오, 그래요. 그 문리대 교정의 마로니에로부터 시작하도록 합시다. 거기서 무슨 일이 있었소?"

그게 이 소설의 시작이었다. 작가의 표현대로라면 그들의 쓸쓸한 사랑과 그 현란한 추억을. 시대의 후미진 하늘 모퉁이를 우리가 알 수 없는 찬연한 불빛으로 불타며 저물어간 한 쌍의 젊은 연인들의 파국적인 사랑이야기의 출발은 오스트리아 빈의 한 경찰서에서부터 시작되었다.

인구 3만 남짓의 시골 출신 법대생 임형빈과 같은 대학에서 세익스피어를 공부하던 영문학과 서윤주, 두 젊은이의 사랑과 집착, 성공, 그리고 파멸로 이어지는 소설의 시대적 배경은 60년대 말에서 80년대 초까지 격동의 시대였다. 작가는 그 10년 단위의 연대를 막걸리와 생맥주의 차이이며, 젓가락 장단과 통기타 반주의 차이이고, 목 자른 군화와 청바지의 차이라고 했다.

이 소설의 챕터 구성은 다섯 개의 장(章)『그 해의 화사했던 장미』, 『불꽃 속에서의 한 계절』, 『긴 이별의 시작』, 『어디서 무엇이 되어 다시 만나랴』, 『우리들의 날개』로 나누어져있다.

(그 해의 화사했던 장미)

임형빈! 그는 작은 시골에서 성장했다. 그의 아버지는 초등학교 교사이고, 형빈은 장남이었고 밑으로 동생은 4명이나 있었다. 어려서부터 공부를 잘한 수재였으며 그해 대학시험에서 서울대 법대에 합격했다. 그의 합격은 가문의 영광이었고, C읍의 영광이기도 했다. 그 시골의 고등학교 개교 이래 처음 있는 일이기도 했다. 지역 유지들은 앞다투어 장학금을 보냈고 1968년 2월 말에 C읍의 역전이 떠들썩할 만큼 고향 사람들의 배웅을 받으며 그는 서울로 떠났다.

형빈은 대학1년 동안 동숭동 비탈의 자취방을 오가며 수업과 공부에만 매달리며 20대의 문턱을 넘었다. 흔히들 그 또래에 접하기 마련인 미팅, 술, 담배, 바둑 등에는 별로 빠져들지 않았으며, 고향사람들과 아버지의 부추김 탓도 있었지만 스스로도 재학(在學) 중 고시합격(考試合格)이라는 목표를 세웠는데 그동안 그가 거둔 빛나는 성공을 서울에서도 성취(成就)하고 싶었다.

어쩌면 고향사람들의 갈채와 기대에 눈멀고 귀먹어 있었을지도 모르는 학문(學問)의 탐구(探究)와는 거리가 먼 성과(成果)만 강조된 목표(目標)에 매달려 있었다. 겨울방학 때 집에 와서도 공부에만 매달리는 형빈을 보며 그의 아버지마저도 건강을 걱정할 정도였다. 방학의 거의 끝날 때 쯤 상경을 앞두고 이불보퉁이와 책을 소화물로 미리 부치고 고향 거리를 서성거리다가 우연히 고등학교 동창 시후를 만났다. 시후는 사립명문 문과에 들어간 수재였지만 형빈의 그늘에 가려 빛을 못본 고향거리의 또 다른 총아였다.

그날 둘은 술을 마셨고, 시후는 모든 것을 수직선상에 놓고 상하관계로 규정하는 사회적 가치에 대해 게거품을 물었다. 그리고 형빈 같이 기성세대가 정해놓은 성공이라는 목표를 향해 지름길로 내달리는 부류에 대한 거부감도 말했다.

"따지고 보면 얼마나 그게 끔찍한 일이냐? 그래서 스물 대여섯에 벌써 법관복을 입는 게 얼른 보아서는 멋있고도 신나게 느껴질 테지만, 알고 보면 그게 얼마나 불안하고 위태로운 일이냐 말이다. 책과 시험에 내 몰리어 넉넉하게 세상을 이해할 틈도 없었고, 우리 삶에 대한 동정과 연민도 느껴 볼 틈도 없이, 높다란 재판석(裁判席)에 앉은 준엄한 법관이란 게 얼마나 억지스러운 존재냐구"

친구 시후는 오래 전부터 형빈에게 그 말을 해주려고 별려온 듯 취중에도 제법 조리를 잃지 않고 말했다. 하지만 형빈은 시후에게 느껴온 우월감이 흔들리게 되자 지지 않고 되받아 쳤다.

"걱정은 고맙지만 꼭 이렇게 엄숙한 자리를 만들어가며 해줘야 할 애기인지는 솔직히 모르겠다. 이미 그 애기는 여럿에게서 들었고, 나 자신도 거기 대해 충분히 걱정하고 있으니까 말이야."

둘은 취중에 치열한 논쟁을 더 벌였고 결국 그날의 술자리는 막걸리 잔을 상대에게 끼얹으며 파장을 맞았다. 이튿날 형빈은 서울로 떠났고 곧 새 학기가 시작되었다. 시후와의 일은 그저 그 또래의 친구사이에 흔히 있기 마련인 티격태격으로 일단 마무리 되었고 그의 의식의 표면에서 사라져갔다.

새 학기가 시작되고 다시 공부에 매달렸지만 형빈은 내부로부터 변화가 일기 시작했다. 공부에 지쳐있거나 사념에 빠져있을 때 시후가 했던 이야기가 생각이 났다. 시후의 말이 생각보다 깊이 각인되어 이러다가 한번 뿐인 젊음을 소비해버리는 것이 아닐까 하는 불안감으로 이어졌다. 그리고 5월이 거의 다갈 무렵의 어느 날 문리대 교정의 마로니에 잎새가 손바닥만큼이나 넓어져 있는 교정의 벤치에서 서윤주 그녀를 처음 만났다.

"멀찌감찌서부터 그녀가 그토록 인상적이었던 것은 아마도 그녀의 옷차림 때문이었을 것이다. 철 늦은 바바리코트 같은걸 걸쳤는데, 작은 망토라고 해도 좋을 만큼 넓은 코트 깃이 때마침 불어오는 봄바람에 너울거리는 게 그녀의 머리 위에서 너울거리는 마로니에 잎과 어울려, 어떤 형언하기 힘든 이국적(異國的)인 아름다움으로 다가오는 것이었다."

형빈은 강한 전류에라도 쐬인 사람처럼 굳어져 점점 가까워져 오는 그녀의 얼굴을 자세히 바라봤다. 오똑한 콧날에 짙은 눈썹, 서글서글

한 눈매에 아직 화장으로 강조되지 않았는데도 한 눈에 확 뜨이는 예쁜 1학년 여학생이었다.

형빈은 용기 내어 다가가 몇 마디 작업을 걸었지만 보기 좋게 퇴자를 맞았고 떠나가는 그녀의 뒷모습만 멀거니 바라볼 수밖에 없었다. 그녀가 떠난 후 꼭 무엇에 홀렸다 풀려난 사람처럼 거의 탈진상태로 있다가 담배 한 개비를 태우고 나서야 그 자리를 떠났다.

하숙집으로 돌아온 뒤 습관처럼 책상머리에 앉았지만 좀처럼 책 속으로 빨려 들어가지 못하고 몇 날을 헤매었다. 수업시간 교수님의 말씀도 들리지 않았다. 그녀의 환상을 지우기 위해 플로베르의 방식을 빌려 그녀에 대한 비하(卑下)로 환상을 지우려 했지만 소용없었다. 오히려 '참다운 사랑은 일생에 한번밖에 앓지 않는 홍역과 같은 것'이라고 한 라프카디오 헌의 말이 형빈의 뇌리에 맴돌았다. 그렇게 밤인지 낮인지 모를 날들이 며칠 지나는 동안 형빈의 이상한 상황은 하숙집 아주머니에게 먼저 감지되고 같이 하숙하는 학생들에게도 수군거림으로 떠들게 되었다. 평소 죽자살자 공부만 하던 '우리 모범생'이 그 하숙집에서 형빈의 호칭이었기 때문이었다.

그 때 미대생으로 그 하숙집의 해결사로 통하던 태식이 나서서 형빈의 고민을 듣게 되고 그녀를 찾기 위해 불문과 강의실 등 문리대 수업시간에 맞춰 많은 날들에 걸쳐 탐문을 하지만 실패하고 난 후, 태식과 형빈은 술을 진탕 마시고 아무런 근거 없는 미련에서 벗어나려는 결별의식을 한다. 그날 마신 술을 하숙집 앞 수채에다 몽땅 게워 놓고 방으로 기어 들어간 그날 밤을 마지막으로 남은 학기에는 제법 예전의 모범생으로 돌아갔다. 착실하게 학교의 강의를 들었고, 재학중 합격이라는 목표에 매달려 하숙집에서도 늦도록 책상 앞에 앉아 있었다. 부모님에게는 여전히 앞길이 창창한 아들이었고, 고향사람들에게도 여전히 장학금을 걸어 볼 만한 '앞날의 영감님'이었다.

그렇게 2학기 기말고사도 끝이 나고 며칠 안남은 귀향에 마음 설레고 있을 때 태식이 그의 방문을 두드렸다.

"기말고사도 끝났으니 오후에는 세익스피어나 보러 가지."

"세익스피어?"

태식이 문리대와 사대 영문과의 연합작품으로 하는 영어 연극 공연을 보러 가자고 제안했고, 형빈은 가기 싫었지만 태식의 설득으로 문리대 소강당으로 향했다. 도착했을 때 연극은 벌써 시작된 뒤였고 뒷줄 비어 있는 자리에 앉아서 연극을 관람했다.

연극이 막바지에 이르렀을 때 눈에 익은 사람을 보았고, 빠르고 날카로운 빛살처럼 머릿속에 떠오르는 기억으로 형빈은 움찔했다. 마로니에 곁을 종종걸음으로 떠나가던 그녀를 연극 무대에서 만난 것이었다. 그녀는 맥베드 부인의 시녀역할로 출연 했고, 맥베드 부인 역할의 학생이 대사까지 더듬거리는 평범함에 비해 유창한 영어로 거침없는 대사로 그 어떤 프리마돈나보다 더 눈이 부셨다. 주인공과 시녀가 뒤바뀐 것이 아닌가 의심스러울 정도로 그녀는 단연 돋보였다.

"뭐야? 왜그래?"

"찾았어. 재야……"

연극이 끝나고 태식의 부추김으로 형빈은 무대 쪽으로 가서 연극 잘 봤다며 인사를 했지만 그녀는 '고맙습니다'라고 차갑게 대꾸하고 종종 걸음쳐 지나갔다. 그리고는 저만치 서 있던 어떤 후리후리한 남학생 곁에 착 붙어서며 형빈과는 딴판인 정감어린 목소리로 대화를 나누고 있었다. 그 모습을 본 형빈은 푹석 주저 앉고 싶은 심경으로 돌아섰다.

시골의 보수적인 환경에서 자란 그는 그녀가 다른 남자와 다정스레 말을 주고받는 것은 그 때의 형빈의 가치관으로는 이해할 수 없는 시골 촌뜨기였다. 형빈의 토라짐과 퇴각에 대해 태식은 "이런 고색창연한 머저리가 있나? 지금이 어느 땐 줄 알아? 20세기하고 말엽이야. 대망의 70년대가 다섯 달밖에 안 남았다구."

다음날 형빈은 귀향했고, 한 학기 동안 할퀴고 간 상처는 쉽게 치유되지 않았지만 고향사람과 가족들의 기대에 내몰린 형빈은 서울에서의 몇 달을 참회라도 하는 심경으로 책상 앞에 붙어 앉아 있었다. 그러던 중 태식에게서 편지가 한통 날라 왔다. 그녀는 영문과 학생이었고 가족은 모두 미국으로 갔으며 그녀는 현재 언니 집에서 살고 있음. 저번 맥베드 공연 때 네가 연적(戀敵)으로 단정한 친구들은 그녀를 따라다니는 대여섯의 숭배자군(群) 가운데 하나에 지나지 않음. 재도전할 의사가 있다면 그녀의 주소는 하기(下記)와 같음.

형빈은 고심 끝에 그녀에게 편지를 쓰기로 했다. 며칠 밤을 새워 쓴 편지를 들고 고향 친구 시후에게 교정을 받으러 갔다. 국문과 친구가 해준 글쓰기의 기본 충고는 독자인 나에게도 참고가 될 만한 유익한 내용이었다.

『감탄사와 느낌표, 그리고 말없음표는 색깔로 치면 보라색쯤 된다. 너무 자주 쓰면 천박해 보인다. 글이 아름답다는 것과 비유를 많이 쓴다는 걸 혼동하지 마라. 특히 은유법이나 의인법의 남발은 산문(散文)을 어색하게 만드는 지름길이다. 준말, 대과거를 자주 쓰면 글이 유치하거나 경박해 보여. '난…….했었다'식 말이야. **같은 단어를 특별히 강조하기 위해 반복하는 것이 아니라면 되도록 피하는 게 좋아. 사람을 궁색하게 보이도록 하거든.**
글이 반드시 특별한 것이라고 생각하지 마라. 아름다움에 욕심 부리지 말고, 하지만 흔하지 않은 방식으로 써야 해. 글이 지루하고 답답해지는 것은 대개 무언가 흔해빠진 방식을 답습했기 때문이야. 문장의 구조든 어휘든 운율이든 서술방식이든…….』

시후의 글쓰기 특강을 받은 형빈은 윤주에게 다섯 번이나 홍수 같은 연애편지를 보냈으나 답장은 없었고 급기야 서울행 야간열차에 몸을 실었다. 새벽같이 도착해서 주소지의 대문을 두드렸으나 그녀와 마주앉은 시간은 다방 영업을 시작한지 한참이나 지난 오전이었다.
편지에 답을 주지 않았느냐는 형빈의 물음에 '서윤주라는 대단찮은 여자에게 글을 쓴 게 아니라 댁의 머릿속에 있는 이상(理想)의 여인에게 글을 쓰고 있었다, 그기에 저 따위가 감히 어떻게 답장을 낼 수 있었겠냐. 그 다음으로는 느닷없이 폭발할 듯한 댁의 열정이었다. 댁이

나를 본 것은 딱 두 번 뿐일 것인데 그것도 두 번 모두 지나쳐 갔다고 해도 좋을 만큼 짧은 대면이었다. 따라서 댁의 편지에 쓰인 것은 거짓말이거나 광기(狂氣)라고밖엔 이해할 수 없는데 그 어느 편도 답장을 내기에는 적합하지 않다.' 는 그녀의 답변에 형빈도 제법 그럴싸한 논리로 대응했다.

'어느 정도 감정의 과장이야 있었겠지만, 내가 꿈꾸고 바란 것은 틀림없이 윤주씨였다. 환상이라고 해도 죄 없는 환상이다. 우리가 세상에서 애착하는 어떤 것도 현실 그대로인 법은 없다. 그 다음은 인간의 열정에 대한 오해와 편견이다. 윤주씨는 느닷없고 폭발적이라고 해서 그 열정을 거짓이나 광기로 단정하시지만, 나는 오히려 그것이야말로 열정의 참모습이라고 생각한다.

논리적이고 설명되고 합리적으로 조절된 열정은 적어도 내게는 열정이 아니다. 만약 그게 없다고 그 열정을 거짓과 광기로 몰아붙인다면 윤주씨는 세상의 해석 절반을 포기하는 것이 되고 만다.'

"제김에 취해 물불 안가리고 덤비는 두메산골 갑돌인 줄 알았더니 제법 입이 맵네요. 편지하고는 달리 댁은 처음이 아니죠? 이런 식으로 여자를 정신 없게 만들어 후리는 게 혹시 전공 아네요?"
어른스럽게 굴려는 외양과는 달리 윤주 또한 스물 한 살의 여자아이에 지나지 않았다.

드디어 감정의 과장과 추상의 하늘 위에 떠 있던 화제들은 조금씩 땅으로 내려앉아 제법 오래된 친구 사이 같은 애기가 시작되었다. 방학은 어떻게 보냈는가, 앞으로의 계획은 어떤가, 개학해서 학교로 돌아오면 어떻게 할 것인가 등 그 또래의 관심사항을 나누었다.

다방을 나서면서 그녀는 형빈에게 돌아가서 마음잡고 남은 방학 동안 열심히 공부하라며 덕담을 했다. '개학해서 만날 테니까 편지도 그만하고 그 시간 공부에나 보태는 게 좋을 것 같다'고. 형빈은 돌아오는 길에 수유리의 장미원에 들러 장미꽃 한 다발을 사서 지나가는 중학생에게 배달을 부탁했다.

'우리가 함께 한 수유리의 오늘 한나절을 오래오래 기억해 주십시오.' 문구의 쪽지를 곁들여서.

(불꽃 속에서의 한 계절)

여름 방학이 끝나고 다시 서울로 올라가 하숙집에 짐을 풀어 놓기도 전에 윤주에게 전화부터 걸었지만 실망스럽게도 윤주는 만날 약속을 다음다음날로 미루었다. 밤낮없이 마주보게 될 것을 기대했던 형빈에게 그녀의 담담하고 가라앉은 목소리와 주도할 수 없는 관계는 고통이었다. 음악 감상실에서 들어도 모르는 노래를 들으며 몇 시간이고 자신에게만 충실한 그녀를 보며 원망은커녕 감히 나가자는 소리도 못하는 자신에게 부아가 치밀었다. 참다못해 의견을 말하면 선선이 받아주기는 했지만 형빈의 진지함을 철부지 심술정도로 여겼다. 그기에 번번이 압도되어 그녀의 뜻대로 움직이게 되면서도 마음속으로는 승복하지 못하는 게 형빈의 또 다른 고통이었다. 게다가 윤주에게는 적어도 대여섯 명의 멀대같은 보이프렌드가 있었다. 그들은 친구라는 이름으로 그녀의 주위에 존재했지만 형빈은 작은 읍에서 성장한 보수적인 남자였고 보이프렌드라는 말 자체가 가당찮은 관계로 보여 불쾌했다. 형빈은 그 자신이 숭배자군 중에 하나인 것이 견딜 수 없어 따지고 들거나 불편한 기색을 보이면 그녀는 가차 없이 응징했다. 자신에게 순결의 의무를 강요할 수 있는 애인을 만든 기억이 없으니 그게 싫으면 떠나라는 식이었다. 그런 일이 있으면 한동안 만나주지 않다가 형빈이 진정으로 참회할 때쯤에야 슬며시 용서해주곤 했다.

그즈음에 삼선개헌 반대 데모로 어수선했지만 형빈에게는 관심 밖의 일이었다. 책도 이제는 거의 손에서 벗어나 있었으며 윤주와의 사랑은 가열 찬 싸움과도 같았고 화내고 풀어지고 술독에 빠져 괴로워하는 일만 반복했다. 그러다 그해 늦가을 윤주의 제안으로 그녀의 친구들과 수락산에 가게 되었다. 다들 명문대 학생들이었고 남자 셋, 여자 셋 모두 시원시원한 성격에 붙임성도 있고 예의바른 친구들이었다. 그러나 형빈은 까닭 모를 적의감에 사로잡혔다. 그 친구들의 도회적인 세련미와 부유한 신분들에 대한 일종의 자격지심이었다. 다행이도 그들은 형빈의 마음속 깊이 도사리고 있는 열등의식을 눈치 채지 못한 것 같았다. 그저 수줍음 많고 괴팍스런 법학도 정도로 여겨 되도록 까닭 없이 굳어 있는 형빈을 그들 속에 섞이게 하려고 애썼다.

"우리, 수락산에 무슨 한이 있는 것도 아니고, 올라가다가 어디 적당한 계곡이 있으면 거기서 퍼질러 앉고 맙시다."

"무슨 소리야? 꾀 피우지 말아." 윤주가 대뜸 농담으로 그렇게 받았으나 형빈을 보는 눈길에는 예의 그 불안이 언뜻 스쳐갔다. 오래지 않아 기회는 왔다. 그날 산행의 길잡이격인 의대생이 등산로를 헛갈리기 시작했고 일행들은 볕바른 계곡 물가에 자리 잡았다. 준비한 음식과 술을 마시고 다음은 별로 특출날 게 없는 그 무렵 대학생들의 야유회를 마치고 하산을 했다. 신작로를 따라 한참을 걷다가 버스가 왔으며 일행은 모두 서울행 버스에 승차했으나 형빈은 홀로 남아 반대로 뛰어갔다. 친구들과 윤주가 불렀지만 뒤로 돌아보면 소금기둥이 된다는 전설을 생각하며 뒤돌아보지 않았고 결국 버스는 떠나갔다. 형빈은 노을에 발갛게 물든 차창을 뒤로하고 친구들을 태우고 떠난 버스가 보이지 않을 때 까지 신작로를 걸어가고 있었다.

하지만 떠난 줄 알았던 윤주가 그를 찾으러 돌아왔고 그날 다른 때와는 다르게 진지하게 자신에 대해 이야기를 했다. 그녀는 자신으로 인해 이 만남이 둘 모두에게 어둡고 험한 곳을 방황하게 될지도 모른다는 두려움을 갖고 있다는 말과 함께 그 위험 요소에는 자신의 배경이 포함되어 있다고 말했다. 그녀는 인텔리 부모님 밑에서 태어났지만 6.25를 겪으면서 다섯 살 터울 언니와 자기만 남았다고 했으며, 언니가 뭘 하는지도 모르면서 언니 덕분에 학교를 다녔고, 그러다가 언니가 흑인 중사와 결혼을 하고 미국으로 가게 되면서 그녀는 혼자 남아 입주 과외를 하면서 지금까지 살아오고 있다고 했다. 그녀는 이제 시작될 형빈과의 사랑에 두려움을 갖고 있다고 했으며, 형빈의 격렬함과 성급함이 그녀의 어두운 현실은 아마도 상처를 남기고 고통스럽게 할 것이라는 예상을 하고 있었다.

외로운 짝사랑의 어둡고 긴 터널은 지나가고 그녀도 자신을 사랑으로 마주보게 되었다는 것이 형빈에게는 행운처럼 느껴졌다. 하지만 형빈의 2학기 성적은 F학점이 두 개나 있었고 유급을 걱정할 정도였지만 걱정하지 않고 귀향까지 미뤄가며 윤주와의 사랑에 빠져 있었다. 하숙집 친구 태식은 연예를 너무 파괴적으로 하는 형빈을 걱정 했다. 이제 어느 정도 했으면 집안과 고향의 희망으로 돌아가라고 충고했다. 처음 하숙에서 만날 때 시골뜨기 책 벌레였는데 어디에 이런 불덩어리가 숨어 있었는지 모르겠다고 했다. 고향의 아버지도 지난 학기동안 두 번이나 과외의 송금을 요구한 아들의 헤픈 씀씀이에 은근한 의심을 품고 있었다. 하지만 이런 모든 것들도 형빈에게는 중요하지 않다. 이제 그는 윤주의 마음뿐 아니라 몸까지 소유하고 싶은 욕망에 시달렸다. 그러나 그녀는 쉽게 응해주지 않았고 이는 그를 다시 열패감(劣敗感)에 시달리게 했다. 다시 가열찬 자기와의 싸움을 하고 윤주와의 갈등으로 이어졌다. 그러던 중 그녀의 언니에게서 연락이 왔고 윤주가 미국으로 가봐야겠다고 했을 때 분노는 극에 달했다.

용산과 이태원에 둘러진 오만스런 철조망의 주인, 그 질 낮은 주둔병들의 위안부 노릇을 하던 언니를 만나러, 노예 출신의 검은 형부를 보러 미국에 간다는 것에 대한 불결함과 불안 때문에 그녀의 미국행에 형빈은 반대를 했다.

둘은 윤주의 미국행에 대한 언쟁을 벌렸고 싸웠지만 곧 화해의 술잔을 기울이며 분위기는 누그러들었다. 그 때 형빈은 지금껏 자신의 내면 깊숙이 자리 잡고 있던 그녀에 대한 욕망을 털어놓고 말았다.

"너를 가지고 싶어.......,"

"몸과 마음 모두 내 여자로 만들고 싶어."

"그래, 여자가 그렇게 소유되는 것이란 말이지? 너도 틀림없이 그렇게 믿고 있단 말이지?"

얼마나 시간이 흘렀을까? 한참을 망설인 끝에 윤주는 자신의 지난 과거를 이야기 했다.

"동정(童貞)과 같은 전통적인 관념에 대해 너는 가졌을지 몰라도 내게는 아무것도 없다. 어떤 남자가, 네 식으로 표현하면 너보다 나를 먼저 가진 적이 있다. 언니가 검둥이 형부와 오키나와로 날아가 버린 뒤 한동안 충격으로 비틀댈 때 나이트 클럽에서 술을 마셨고 취해 정신을 잃었고 아침에 눈을 뜨 보니 웬 아저씨가 내 옆에 누워 있었어."

형빈은 담담한 그녀의 목소리를 듣는 순간 세상이 무너지는 충격으로 눈앞에 아무것도 뵈는 것이 없었다. 그날 밤 무슨 말을 어떻게 나누었는지, 어떻게 헤어져 하숙집으로 돌아왔는지도 모른 채 다음날 서둘러 짐을 싼 뒤 귀향했다.

그는 충격과 상실감으로 고향으로 돌아와서도 한 동안 집안에서만 틀어박혀 있었다. 첫날 도착했을 때 한학기의 행적에 대해 엄격하게 묻던 아버지도 형빈의 살기 띤 침묵에 입을 다물었고, 어머니는 눈치만 보며 동생들을 되도록 가까이 오지 못하게 했다. 형빈은 긴 겨울밤과 짧은 낮을 아무에게도 방해받지 않고 생각하는 것도 아니고 잠자는 것도 아니며, 괴로워하는 것도 아니고 슬퍼하는 것도 아닌 정신의 막연한 방치(放置) 상태로 지냈다. 그리고 집으로 돌아 온지 일주일 만에 그녀에게서 편지가 왔다.

'지난날의 청운(靑雲)의 꿈을 되찾기 바라며 나는 내일 미국으로 떠나서 돌아오지 않겠다'는 내용이었다. 이 후 형빈은 허탈감과 무기력감에 술에 빠져 지냈다. 그런저런 의사의식(疑似意識)속에서 그를 사르고 있던 불꽃은 그해겨울 소리 없이 그렇게 스러지고 있었다.

〈긴 이별의 시작〉

그 기괴한 시간동안 고마운 것은 부모님이었다. 지난 십 수 년간 아들이 보여준 모범적인 성장과정의 기억에 의지해 형빈의 방황을 참아 넘겼다.

"무슨 일이 있었는지 모르지만 나는 믿는다. 네가 이 고비를 훌륭히 극복해내리라는 걸, 이 거리의 자랑으로 되살아나 우리 집과 이 거리의 꿈을 이뤄 주리라는걸......," 형빈이 상경하기 전날 그의 아버지는 그렇게 잘 지은 작문 같은 말을 했다.

몇 달 만에 돌아온 서울의 거리와 학교는 썰렁했다. 특히 교정은 모

진 태풍이나 큰 전쟁이 휩쓸어간 것처럼 낯설고 황량한 곳으로만 비
쳤다. 형빈은 그 봄을 혼이 빠진 사람처럼 흔들거리며 습관적으로 하
숙집과 강의실 사이를 오가고 있었다. 그렇게 쓸쓸한 봄이 다해가는 4
월 말의 어느 날 윤주의 의대 친구가 찾아와서 그녀의 소식을 알려준
다.

　그녀는 미국에 다녀온 후 복학하지 않은 채 이태원 술집을 전전한다
는 내용이었다. 형빈은 몇날 며칠을 미친 듯이 이태원을 뒤진 끝에 외
국인 전용 술집에서 윤주를 발견했다. 그녀는 미국을 다녀왔고 언니는
그 사이 흑인 남자와 이혼을 하고 느긋한 백인과 결혼해 살고 있다고
했으며, 한국에서의 참담한 실패가 더 이상 과거로 발목 잡지 않는 아
메리카는 여전히 기회와 절연의 땅이라고 했다. 그녀는 미국으로 들어
갈 기회를 보고 있다고 했다. 여기서 다시 시작하자는 형빈의 말을 비
웃으며 자신의 숨겨둔 과거 이야기를 확인 사살하듯 하나 더 들려줬
다. 언니가 떠났을 때 혼자 남은 그녀에게 부유한 노신사가 접근했으
며 그의 도움으로 대학에 가고 생활비를 받아왔다고 했으며 입주과외
는 거짓말이었다고 했다. 그는 점잖은 신사였으므로 그에게 돈을 받는
비참함과 매음(賣淫)의 상습성(常習性)을 면하는 선에서 몸으로 대가를
치렀다고 했다.

　그 일은 잊혀 질 뻔 했지만 형빈과의 사랑을 시작하면서 그 일이 전
례 없이 큰 무게로 짓눌려 왔고, 과거로부터 날아가 버린 언니에게 가

봐야겠다고 생각을 했다는 거였다. 지금은 언니가 하루빨리 미국에서 살 수 있도록 초청을 해주기를 기다리고 있다고 했다. 그날 형빈은 죽을 만큼 술을 마셨고 이제 이 사랑을 끝내려면 윤주를 죽여 버리는 게 유일한 방법이라고 생각하고 그녀의 목을 졸랐다. 목을 조르다가 정신을 잃었고 그날 윤주는 형빈이 자신의 목을 조를 때 죽음을 뛰어넘는 사랑을 보았으며, 자신의 미국행 계획을 수정하기로 했다. 속속들이 보여주고 전부를 주고 나서도 치유되지 않은 과거가 남아있다면 그때 떠나도 늦지 않을 거라고 생각했다.

그들에게 새로운 날들이 시작되었다. 동숭동 산꼭대기 부근에 셋방을 얻고 함께 살게 되었다. 고향집에서 계속 하숙비를 받고 둘이 각자 과외그룹 지도를 했으며, 몇 년을 버틴 뒤 윤주가 졸업 후 교편을 잡으면 그는 다시 시험 준비로 돌아갈 수 있다는 것이 그들의 생각이었다. 둘의 생활은 만족스러웠다. 과외 그룹은 명문대생의 후광으로 쉽게 구해졌고 둘의 수입은 아버지의 월급보다 훨씬 많았을 정도였다. 생활이 안정되자 형빈은 학교 공부도 나아져서 F학점을 때우고 상위 그룹으로 되돌아 갈 수 있었다. 윤주도 남는 시간을 활용해 복학 준비를 서둘렀다. 삶에 대한 전망도 고시 하나에 매달려 있던 때나 막연한 탈출을 꿈꾸던 때보다는 훨씬 구체적이고 확실해졌다. 화려한 환상을 잃은 허전함을 달래고도 남을 현실의 오붓함과 달콤함의 연속이었다.

몇 달 후 평지의 보다 안락한 집으로 이사를 했다. 그러나 부모님을 속이고 있다는 죄의식은 그의 마음을 무겁게 했다. 당장 눈앞의 위기는 면해도 그 뒤에 있을 거짓의 세월이 갑자기 두려워 지기도 했다. 2학기가 되어 윤주가 복학을 했고 그건 공동생활의 문제점을 밖으로 드러나게 했다. 젊은이들의 열정으로 시작된 일이었지만 남자와 여자가 공동생활을 시작한 원형은 가정일 수밖에 없었고, 그 가정에서의 역할은 아무래도 누군가의 주부 역할이 필요했는데 그게 문제였다. 윤주는 살림 솜씨가 전혀 없었고 늘지도 않았다. 반찬가게의 반찬과 세탁소에 의지하고 청소는 형빈이 도왔지만 쓰레기만 겨우 면할 정도의 방을 유지했다. 게다가 윤주가 2학기 복학을 하자 시간적 경제적 여유가 없어지고 빠듯해져 갔다.

형빈은 방학에 잠깐 집에 다녀왔고 부모님과 고향거리가 일깨워준 자신이 예정되었던 화려한 미래에 대한 기억이 살아났다. 지금의 현실은 어쩌면 앞으로는 평범한 미래와 왜소한 삶이 기다릴지도 모른다는 생각을 하게 되었고 힘겹게 얻은 사랑을 싸늘한 눈으로 돌아보기도 했다. 인생에서의 피리를 내 주관적인 가격으로 너무 비싸게 산 게 아닐까하는 회의감이 느껴질 쯤 윤주의 미국 언니가 죽었다는 편지가 왔다. 윤주는 울부짖었고 애초에 미국으로 갔어야 했다고 넋 빠진 사람처럼 매일 그 감정에서 빠져나오지 못했다. 그녀를 달래다 지치면 으박지르면서 며칠이 지났지만 윤주는 서서히 변해갔다. 입은 굳게 다물어졌고 공허한 눈길과 어둡게 가라앉은 태도로 마주보듯 움직이고 대답했으며 마치 낯선 곳을 헤매는 사람처럼 보였다. 두 사람의 끝은 생각보다 빨리 찾아왔다.

어느 날 예고 없이 아버지가 찾아 왔고 윤주가 떠났다는 것을 알려 줬다. 나중에 고시에 합격하면 그 때 다시 돌아 올 것이라고 했다. 아 버지는 아들의 모든 것을 알게 되었고 그 절망감을 가득 안고 있었지 만 형빈은 그녀가 떠났다는 것 외에는 아무것도 생각나는 게 없었다. 형빈은 세달 동안 윤주를 찾아 헤맸지만 그녀를 찾을 수 없었다. 가을 이 가고 겨울이 오고 있었다.

12월이 깊어갈 쯤 그녀가 떠나간 뒤 불을 짚은 적도 없는 냉방에서, 그녀가 떠나간 뒤 한 번도 갠 적이 없는 이불속에서 웅크리고 있을 때 고향 친구 시후가 찾아왔다. 시후는 입영통지서와 아버지 몰래 어머니 가 마련해준 돈을 가지고 왔고, 그 돈으로 형빈을 데리고 나가 목욕과 이발을 시키고 떳떳한 여관에서 잠을 자게 했다. 그는 자고 또 잤다. 지난 석 달 동안 한 번도 잔적이 없는 것처럼 꼬박 서른 시간을 자고 눈을 떴을 때 세상은 잠들기 전과 달라져 있었다.

"나는 거의 내 힘으로 모든 것을 조금씩 회복해 갔다. 예전의 그 자신만만하고 야심에 차 있던 시골 수재로까지는 몰라도, 최소한 의 삶이 사랑만으로 이루어진 것은 아니라는 것을 아는 현실적인 인간으로는 돌아갈 수 있게 되었던 것이다."

그로부터 한 스무 날 뒤 형빈은 논산으로 가는 입영열차에 올라앉아 있었다. 내상(內傷)은 아직 딱지도 제대로 앉지 않았지만 그런 것은 원래가 밖으로 드러나는 게 아니었다.

(어디서 무엇이 되어 다시 만나랴)

군대는 형빈에게 훌륭한 도피처가 되어주었다. 복무 중 한번의 고비가 있었는데 입대 후 9개월이 지났을 때 윤주가 보낸 편지가 태식의 손을 거쳐 그에게 배달되었을 때였다.

> "그 집을 나오고 두 번인가 어둔 골목길에서 너를 훔쳐본 적이 있었다. 우리를 기다리는 운명이 어떤 것이든 비척거리며 걷는 너를 보고 달려가 부축하고 싶은 충동을 억누르기 위해 얼마나 이를 악물었던지 모른다.
> 하지만 이제는 모두가 다 지나간 일이야. 내가 너를 원망하지 않고 우리 사랑을 소중하게 추억할 것처럼 너도 우리가 함께 한 세월을 값진 통과의례로 여겨 줘. 진실하고 복되게 네 삶을 채워 가도록 해. 그럼 안녕히. 부디 자중자애(自重自愛)하기를."

형빈은 부대 철조망을 타넘고 부대에서 십 리나 떨어진 주막에서 술을 마셨고, 사단 영창에 일주일이나 구금 되었다. 그 뒤의 군복무 기간은 긴 잠과 같았다. 어떻게 하루를 보냈는지 거의 기억하지 못할 만큼 몽롱한 삶이었다. 휴가 때는 통나무처럼 방안에 들어 누워 잠만 자는 그를 보며 어머니는 한숨과 함께 치마폭으로 눈물을 찍어냈다.

제대 후 복학을 하고 학교를 다니고 졸업을 하고 명문대 간판덕분에 대기업에 취직을 했다. 그 즈음 우연히 윤주의 남자 친구 중 한명으로부터 윤주가 떠날 때의 이야기를 들었다. 그녀는 미군 병사와 결혼을 해서 미국으로 빨리 들어갈 수 있었으며 가서는 6개월 만에 그 병사와 헤어졌다는 것이었다.

　5년이란 세월 덕분일까? 윤주의 일도 그때쯤은 이미 상처가 아니었다. 오히려 형빈이 가슴저리게 떠올리는 것은 그런 구체적인 계기로보다는 순간적인 감상에서일 때가 많았다. 이를테면 어쩌다 단풍이 곱게 진 산기슭을 지나갈 때, 들판 한가운데로 희고 곧은길이 쭉 쭉 나 있을 때, 저무는 골목길에서 특히 구성진 노랫소리가 들릴 때 등 그녀 때문에 받았던 고통의 기억이 한 공포로 그의 의식에 남아 그녀에 대한 그 이상의 접근을 완강하게 차단해 준 까닭이었다. 형빈은 그 이후 몇몇 여자를 만나고 헤어지기도 했다.
　그는 명문대 출신이고 해외로 발돋움 하는 대기업의 유망한 사원이었으므로 괜찮은 조건의 신랑감이었다. 그러나 윤주에게 느꼈던 감정을 그녀들 중 누구에게도 느끼지 못했고 어찌어찌하다 깊은 만남을 가진 후에는 공허감과 환멸만이 짙게 남았다. 결국 어머니의 성화로 중매결혼을 하게 되었는데 여자대학교를 나온 괜찮은 여자였다. 그러나 그녀를 사랑할 수는 없었다. 아내는 다른 사람을 만났으면 충분히 행복할 수 있는 여자였다. 불행이도 한 사람만을 사랑하는 심장을 가진 형빈과의 만남이 불행이었던 것이다.

결혼하고 3년이 지나고 형빈은 미주지사로 발령이 났다. 그는 회사에서 유능한 사원으로 인정받았고 그의 발령은 선발의 의미를 담은 영광스러운 진출이었다. 형빈은 성가신 결혼생활과 지루한 일상을 벗어난다는 것만으로도 기뻤다. 그걸 게기로 마음에도 없는 결혼생활이 끝장나 주기를 은근히 바랐다. 미국 LA지사에서 그는 굉장히 바빴다. 그의 인생에서 가장 생산적이고 열정에 차 일한 것은 그 기간이었다고 말할 수 있었다. 이듬해 봄이 되었을 때 어느 정도 시간의 여유가 생겼고 윤주를 찾아볼 생각을 했다. 그건 미국에 올 때 계획 한건 아니었지만 휴가를 보내는 동안 나이든 한국 유학생들과 어울렸을 때 문득 윤주가 생각이 났다. 한번 찾아볼 결심을 하자 마음이 갑자기 초조해 졌다. 윤주가 마지막으로 편지를 보냈던 버밍햄으로 날아가 그 마을을 샅샅이 뒤졌지만 그녀의 행적은 없었다. 그게 계기가 되어 윤주에 대한 마음은 다시 불타 오르기 시작했다. 미국 전역에 있는 한국어판 신문에 그녀를 찾는 광고를 냈지만 효과는 없었다. 그러던 중 아내가 이혼을 요구하는 편지를 보내오고 아버지의 만류가 있었지만 그는 이혼에 동의를 했다.

아내에게 애정은 없었어도 3년을 살던 사람이었으므로 울적해진 기분으로 산타모니카 해안으로 차를 몰았다. 그날 형빈은 뭔가가 다가오고 있다는 예감으로 앞뒤 없이 가슴이 이상하게 두근거렸다. 과학이 발달한 합리의 시대지만 설명할 수 없는 그 우연, 그녀가 여기 가까이 있다는 확신이 들었고 몇 개 건너의 벤치에 앉아 있는 여자를 발견했다. 그녀가 바로 윤주였다. 그들은 이 질긴 운명을 어떻게 표현해야 될지 알 수 없는 채로 얼싸 안고 그저 심하게 다친 두 마리의 짐승이 서로의 상처를 핥아주듯 지난 10년 동안 그토록 모질게 이어온 그리움과 미움, 슬픔과 고통을 어루만졌다. 윤주는 이제 숨김없이 자신의 이야기를 했다. 처음 사병과 결혼을 해서 앨라배마주에서 살다가 6개월 후 헤어졌고 동부로 가서 식당에서 일하며 대학을 마쳤다고 했다. 그러나 대학을 나와 봤자 달라지는 건 없었고 그저 이름 없는 시립대학을 마친 동양의 여자일 뿐이었으며 그녀가 할 수 있는 것은 결혼뿐이었고 백인 남자와 결혼해서 살다가 헤어지고 그 다음엔 나이 지긋한 아일랜드계 남자와 결혼했다고 했다. 그 남자는 윤주가 타이피스트로 일하던 부동산 중개소 사장이었다. 그 남자는 얼마 안가 병으로 죽었고 그의 유산으로 그녀는 이제 약간의 풍족함을 느끼며 살고 있다고 했다.

그들은 다시 어울렸고 이제 헤어지지 않을 자신이 있었다. 형빈은 윤주의 아파트로 옮겨 갔다. 새로운 날들이 이어졌다. 형빈은 다시 세상을 사랑하게 되었고 의욕적으로 일했다. 직장 동료들은 그의 이혼에 마음 아파할 겨를도 없이 이어진 결혼과 행운을 축복해 주었다. 그 후 1년은 형빈의 인생에서 가장 행복한 한 해였다. 윤주는 그동안 많이 변해있었다. 예전처럼 턱없는 자부심이나 뒤틀림으로 사람을 피곤하게 하지도 않았고, 쓸데없는 날카로움이나 변덕으로 짜증나게 하지도 않았다. 신산스러운 10년은 그녀를 뜻밖에도 단순하고 솔직한 정신으로 개조시켜 형빈에게 다시 안겨 준 셈이었다. 그녀의 서툰 살림 솜씨도 문제될 것이 없었다. 그 나라의 발달된 인스턴트식품과 가사 서비스업은 의식주 모든 것을 해결해 주었다.

그들은 주말마다 여행을 다녔고 미국 전역을 돌아다녔다. 금요일 오후부터 들뜨기 시작했고 어떤 때는 월요일과 화요일 까지 회사에 적당히 핑계나 출장을 구실로 출근하지 않았다. 형빈의 변화에 회사에서는 그의 행운을 부러워하는 축도 있었지만 더러는 쓰는 즐거움에 너무 깊이 빠져들고 있다는 걱정을 하는 경우도 있었다. 그의 자전 휴가로 지사장은 본국으로 전보시킬 생각이 있다는 말도 들렸다. 그러나 형빈은 그런 것들에 개의치 않았다. 이미 쓰고 즐기는 생활에 깊이 빠져들고 있었고 다음 주말에 갈 멕시코 여행에만 관심이 가 있었다. 그러나 그들의 재정은 점점 바닥이 나고 있었다. 형빈은 생활규모의 축소를 의논하고 아파트를 싼 곳으로 옮기자고 제안했지만 윤주는 격렬하게 반대했다. 형빈은 점차 부정한 거래에 손을 대기 시작했다. 돈이 필요했고 그해 연말에 가기로 유럽 여행 계획을 세우면서 모든 걸 걸더라도 그 행복을 유지하고 싶었다. 그들의 유럽 여행은 거의 보름이나 이어졌고 봄과 여름에 걸쳐 두 번이나 더 유럽 여행을 갔다. 마지막 행선지로 오스트리아로 갔다. 그기에서 예정에 없이 들린 것이 '그라쯔' 라는 곳이었다.

그곳은 작은 도시로 아늑함과 평온함이 있었고 고향으로 돌아온 듯한 느낌이 드는 곳이었다. 그들은 그곳이 마음에 들었고 거기서 일주

일이나 머물렀다. 윤주는 나이가 들면 이곳에서 자리 잡고 살자고 했다. 그러면서 쓸쓸한 목소리로 우리에게 그런 노후가 있을까 라고 말하기도 했다. 그녀는 두려워하고 있었으며 그건 형빈에게도 알 수 없는 비슷한 두려움으로 다가 오고 있었다.

LA돌아 왔을 때 형빈은 한국으로 발령이 나 있었다. 그의 비행과 불성실함으로 인한 지사장의 건의를 본사에서 수용한 것이었다. 형빈은 윤주에게 같이 한국으로 돌아가자고 했고 그녀는 미친 듯이 거부했다. 며칠간의 격렬한 싸움 끝에 윤주는 한국으로 돌아가는 것만 아니라면 새롭게 살겠다고 결심했고 이제 좋은 아내가 되겠다고 약속도 했다. 형빈은 회사를 그만두고 둘은 동부로 갔다.

(우리들의 날개)

두 사람은 이런저런 계산 끝에 새 생활을 시작하기에 좋다고 생각한 뉴저지에 자리를 잡았고 전재산 3만 달러를 기반으로 빠른 시일 내에 10만 달러를 모은다는 목표를 세웠다. 형빈은 야채가게 캐셔, 주유소 점원, 주차장 관리인 등 닥치는 대로 일을 했고, 윤주는 변두리 흑인 구역에 손톱가게를 열었다. 그들은 열심히 일했고 희망과 보람에 찬 날들을 보냈다. 노동의 신성함과 차곡차곡 쌓이는 잔고는 그들에게 과거의 허영을 잊게 해주었다. 그러던 어느 날 윤주의 손톱가게 전세 계약에 문제가 발생했고 들어간 비용을 다 날리게 되었다. 교포 사기꾼에게 사기를 당했고 방법이 없었다. 문제는 이 일 이후에 나타난 윤주의 변화였다. 그녀는 몇 달 동안 반짝했던 열정이 사라졌고 작은 집과 일상을 불평하기 시작했다. 예전에 입던 화려한 옷을 다시 꺼내 입기 시작했다. 그녀를 위로하고 나서 집을 나와 권총 한 자루를 구입했다. 그녀에게 충격을 줄 요량이었고 그걸 본 윤주는 실제 충격을 받았다. 이렇게 끝낼 수은 없다고 울부짖고 다시 시작하겠다는 약속을 했다. 그녀는 하루 종일 서 있느라 발등이 통통 붓는 수퍼마켓 점원 일을 시작했고 레스토랑의 카운터로 옮겼던 그녀는 두 달도 안돼 부동산 사무실의 사무원으로 다시 자리 잡았다. 그녀는 다시 멋을 내기 시작했고 회사 주최 파티에도 여러 번 참여했다. 그녀가 사장인 캐빈과 친하게 지낸다는 느낌이 들어 그녀를 못나가게 했지만 그건 그들의 잦은 갈등으로 이어졌다.

그러던 어느 날 윤주는 형빈이 없는 사이에 짐을 챙겨 집을 나가버렸다. 그녀가 캐빈의 유럽 여행에 동행했다는 것을 알아내고 형빈은 영원히 떠나는 사람과도 같은 준비를 했다. 예금을 인출하고, 증권을 팔고, 가족들과 옛 친구들에게 편지를 쓰고, 여행에 필요한 짐을 챙기면서 권총도 챙겼다. 그 작은 권총을 가지고 캐빈의 행선을 따라 떠났고, 파리의 한 호텔에서 캐빈을 만났으나 윤주는 떠나고 없었다. 캐빈은 윤주가 형빈에게 남긴 쪽지를 건네주고 그 편지에는 오스트리아의 그라쯔 그 농부의 집으로 오라는 내용이 쓰 있었다. 그들은 그라쯔에서 다시 만났다. 며칠 동안 평화로워 보이는 날들이 흘렀고 윤주는 조용히 자연을 즐겼고 형빈은 무엇에 홀린 듯 그녀와 다름없는 날들을 보냈다. 보름이 지나고 그 때까지 살면서 가장 긴 휴가 같은 보름이

지나자 형빈은 의식깊이 묻혀 있던 과거와 미래가 선명히 고개를 들기 시작했다. 그녀는 미국으로 돌아갈 생각이 없었고 그렇다면 이제 형빈에게는 미래가 없는 인생이 되는 것이었다. 그날 윤주는 마을에 나가 반년을 먹을 만큼의 치즈와 와인을 사왔다. 둘은 치열한 다툼을 벌였고 형빈의 마지막 설득과 간절한 부탁에도 그녀의 막말에 가까운 저주는 형빈을 극도로 격앙된 상태로 몰았으며, 결국 그녀에게 형빈은 총을 겨누었고 방아쇠를 당기라는 그녀의 독설에 흥분하여 다섯 발의 총알을 발사했다.

흑, 하는 좀 거센 숨소리 같은 것뿐, 그녀는 비명 한번 지르지 않고 쓰러졌으며 그녀가 두 손으로 싸안은 가슴에서 피가 번져 나온 것을 보고서야 형빈은 제정신이 돌아왔다. 윤주는 정신을 잃기 직전, 안간힘을 다해 형빈에 귀에 마지막 말을 속삭였다.

"그런데 말이야...... 바보 같이...... 너는 왜...... 일찌감치 내게서 달아나지 않았어? 그렇게도 여러번...... 기회를 주었더랬는데....... 이렇게 함께 추락하는 게 안스러워......."

20대의 끄트머리에 읽었던 책을 50대의 끄트머리에 다시 읽은 감회가 새롭다. 생물학적인 나이와 세월에 상관없이 사랑을 주제로 하는 서사적 원형은 여전히 감흥을 준다. 젊은 시절의 불꽃같은 사랑이 열매 맺지 못하고 파국으로 끝장을 본 것에 대한 두 영혼의 광기어린 비극적 사랑의 결말이 그 때나 지금이나 안타깝고 애처롭다.

　내가 읽어본 70여 편에 이르는 작가의 문학작품과 평역 중 이 소설은 '레테의 연가'와 함께 비교적 쉽게 읽힐 수 있는 작품이다. 1990년 초에 영화로도 상영되었지만 소설 원작의 재미와 깊이에 비할 바는 아니었다. 잉게보르크 바하만의 시구(詩句)에서 인용한 '추락하는 것은 날개가 있다'는 그 시대의 유행어가 될 정도로 독자들의 사랑을 받은 젊은 우리들의 문학속의 날개였다.

참고문헌(자료) 및 인용 서적

이 글을 쓰면서 아래의 책들을 참고 및 일부 이론과 정보의 도움을 받았음을 밝혀둔다.

1. 임은정 『계속 가보겠습니다』
2. 이문열 『시대와의 불화. 세계명작 산책(성장과 눈뜸, 사랑의 여러빛깔). 사색, 시인, 신들메를 고쳐 매며, 들소』
3. 강전섭 『황진이 연구. 민음사』
4. 김원동 『황진이 시문학 연구. 연세대교육대학원 석사학위논문』
5. 이재상 『刑法總論. 各論』
6. 김현식 『성서연구 구약과 신약』
7. 김상욱 『떨림과 울림』, 『하늘과 바람과 별과 인간』
8. 이규태 『선비의 의식구조』, 『한국인의 의식구조』
9. 고익진 『불교(佛教)의 체계적 이해(理解)』
10. 제인 오스틴(정은경 옮김) 『오만과 편견』
11. 고두현 『시(詩) 읽는 CEO』
12. 헤리슨 E 솔즈베리 『대장정(大長征)』
13. 김용옥 『슬픈 쥐의 윤회(輪廻)』
14. 아네 드 브리스 『알기쉬운 성경. 구약편』
15. 정찬주 『산은산 물은물 이성철스님』
16. 김용옥 『마가복음 강해』
17. 유튜브 『알릴레오 북스. 김상욱 교수』
18. 칼릴 지브란 『길가는 자의 꿈』

19. 정은주 『육조단경(六祖壇經)』

20. 박경철 『시골의사의 아름다운 동행』

21. 류철균 『작가연구 이문열』

22. 한배호 『비교정치론(比較政治論)』

23. 권여선 『사랑을 믿다. 2008 이상문학상(李箱文學賞) 당선작』

24. 김훈 『칼의 노래 1권, 2권』